U0944041

萧乾 主编

新编文史笔记丛书

第一辑

2

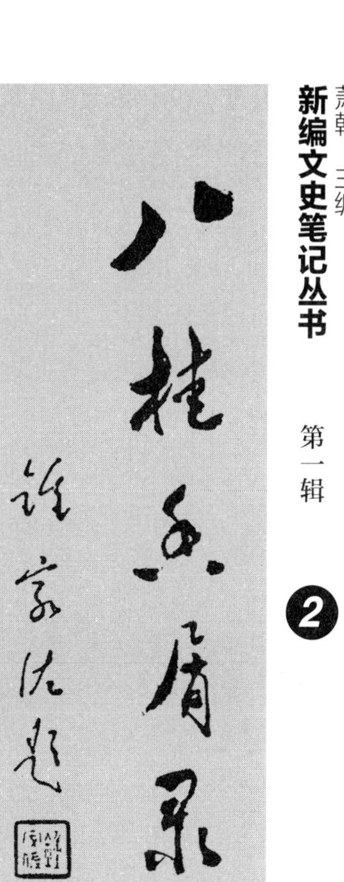

◎广西壮族自治区文史研究馆 编

●唐侬麟 主编

中華書局

目录

名人轶事

文化集粹

名胜古迹

桂林城旧事

民族文化

民族习俗

民族婚丧

八桂英杰

八桂方物

社会百态

新编文史笔记丛书

序

萧　乾

读书界向来对野史有所偏爱。野史大多是信手拈来的历史片断，且往往出自亲历者之手。文直事核，不虚美，不隐恶，而文笔潇洒自如，意味隽永，自然朴实，篇幅不长；可以摊开来仔细咀嚼，也可供茶余酒后、行旅倥偬中，随手浏览。

鲁迅在《华盖集》中，曾几次对野史表示过好感。在《忽然想到》一文中写道："历史上都写着中国的灵魂，指示着将来的命运，只因为涂饰太厚，废话太多，所以很不容易察出底细来。正如通过密叶投射在莓苔上面的月光，只看见点点碎影。但如看野史和杂记,可更容易了然了,因为他们究竟不必太摆史官的架子。”又在同书《这个与那个》一文中说:“野史和杂说自然也免不了有讹传,挟恩怨,但看往事却可以较分明,因为它究竟不像正史那样地装腔作势。”

全国文史研究馆所编的《新编文史笔记》丛书,内容也属野史杂说的范畴。我们希望这些以亲闻、亲见、亲历为主的轶事掌故、琐闻杂记,写人、事而摒除误会曲解,述历史而符合真实面目。

作为一种短隽有味,文字清奇而又雅俗共赏的文学体裁,笔记在中国具有悠久的传统。它始自魏晋,盛行于宋代。南朝刘义庆的《世说新语》,北宋沈括的《梦溪笔谈》,南宋陆游的《老学庵笔记》,明朝张岱的《陶庵梦忆》,清朝纪昀的《阅微草堂笔记》以及20世纪30年代初丰子恺的《缘缘堂随笔》,都是文学史上的奇葩。然而,近年来笔记乏人问津。因此,我们出这一套书,也包含着挽回颓势之意。

全国三十二所文史研究馆拥有雄厚的稿源,两千多位馆员和各馆联系的社会人士,都是丛书的撰稿人。他们都是文史界的耆宿,见多识广,阅历丰富:有的反对过帝制,有的在“五四”运动中扛过大旗,他们目睹过军阀的横行霸道,也经历过艰苦卓绝的八年抗战。这些历尽沧桑的饱学之士,他们的所见所闻,都是弥足珍贵的史料。

本丛书分辑出版，分别由各地文史研究馆编辑，内容亦以本乡本土为主。因此，各册势必具有浓厚的地方色彩。

本着笔记固有的传统，所收各文题材不嫌庞杂。举凡与文史有关的政治、经济、军事、文化、社会等方面，或记闻见杂事，或叙往昔交游，或忆社会百态，均在搜罗之列。时间跨度则自清末以迄1949年为止。这正是中华民族从闭关自守到走向世界，从落后羸弱到奋发图强，是天翻地覆、风起云涌的大半个世纪。其间，发生过多少可歌可泣的事迹，涌现过多少杰出的人物。以这一时间跨度为背景题材写出的笔记作品，必然是内容最为丰厚的。

在选稿标准上，我们坚持史料一定要真，内容要新；既要防止以讹传讹，也力避炒冷饭。在写法上务求短小精悍、生动活泼。每篇以千字为度，希望借此在文风方面，提倡一下简约。在版式上，则想做到既利于阅读，又便于携带。

恳切希望文史界方家及广大读者，不吝赐正。

同盟会在广西的秘密机关

刘　田

清光绪三十四年(1908),孙中山复到河内筹划起义,秘密租寓火车站对面正街一所民房,房门前铁闸常关,好像没有人住。其实却有锁匙三枚,由梁兰泉、甄古廷、黄隆生等各执一枚,外面有要事报告,由三人各自引见。另有策动机关,设在行帆街日新楼茶店上。每晚,由黄兴、胡汉民(化姓陈)借粤东会馆宣传革命,并吸收优秀分子入会。会费二元,照誓章举手宣誓。此外,还在新街十三号设总办事处,筹划起义事宜,后为适应发展需要,又增设办事分处数所。最主要事项是军械，计运入德造驳壳枪四箱，共四十八支,每支配子弹二百颗。由于在河内设置了多处机关,对广西方面就容易联系了。而1906年以后,同盟会员张铁宸、陈晓峰等,先后到柳州,以开矿及旅店业为掩护,在城内榕树脚(街名),开设富贵升客栈(今中山路福音堂),后又改名华熙客栈,暗中进行宣传和联系工作。在发展阶段,更设"一乐也俱乐部"于莲花桥,后来因有个叫许仲山的,泄漏秘密,被捉去刑讯多次,虽坚不招认,但为这事,同盟会员大部分离柳,改由莫显承(开权利杂货店)、王干廷、杨瑞池(开又生杂货店)负责担任柳粤港各方面的通讯。同时,又有黄岱、黎文柏在高岭塘(现鹿寨县境,离柳市三十里)开办垦务公司;张铁宸又以卢焘等在柳城县开樟脑公司,实际都是秘密机关。至于桂林、南宁、梧州各地,除了同盟会员主办的报馆是秘密机关外,桂林方面另有福棠街二号,南宁方面另有石渠书局,梧州方面另有"国民学校"(是私立学校)、文明阁书店,这些都是秘密联系机关。

辛亥革命前广西的革命宣传品

蒙起鹏

鼓吹革命,宣传刊物最为重要。同盟会在日本东京创办革命机关报《民报》,章炳麟(太炎)是该报主笔。那时保皇党也办有《新民丛报》,由梁启超当主笔。一则主张革命，一则主张君主立宪,两报笔战,结果是《新民丛报》输了。因此,东京留学生包括广西学生在内，大多数都倾向革命。在这当中,各省归国的留学生也纷纷印行革命刊物。广西则有《漓江潮》、《独秀峰》。《漓江潮》仅出两期,《独秀峰》仅出一期,都停刊了。桂林军学界先后又出版《武学报》、《南报》、《南风报》、《军人魂》,宣传力也不小。《民报》的销售,以南宁、桂林的石渠书局数量最多,而每于夜间秘密买卖。继《民报》而起的,上海的《国粹学报》、《南社诗文集》等,也卓著声誉,亦为广西的知识分子所爱好。又当时的宣传读物,如邹容的《革命军》,陈天华的《猛回头》,黄藻的《黄帝魂》，在军界中最通行。梧州方面,1908 年先有《广西新报》，宣传君主立宪；随后有《广西日报》,主办者为甘绍相,又有《梧江日报》,主办者为区笠翁，均为同盟会员，在报上发表革命言论,各界人士对这两报都有很好印象。总之,这时报纸的宣传工作,已相当成熟。此外,《国粹学报》印行的古旧书,如《宋遗民录》、《广宋遗民录》、王船山《通鉴论》、《明遗民录》、《扬州十日记》、《江阴城守记》、《荆驼逸史》、《南北略》、郑所南《心史》,及清康熙、雍正、乾隆文字狱案等书,当时的士大夫看后,头脑也逐渐清醒起来,由此倾向革命。

广西同盟会支部组织

刘 崛

清宣统二年(1910)夏历八月，桂林军学界组成广西同盟会支部，推耿毅为支部长，何遂为总参议，赵正平为秘书长，刘建藩为学兵营分部长，梁史为陆军分部长，蒙经为咨议局分部长。当时，学兵五百余人。入盟的有百余人：陆军小学有五十余人，干部学堂有三十余人，咨议局议员有十余人。以福棠街二号为活动中心。另梧州、浔州(今桂平县)、南宁、柳州并先后有同盟会分部的组织，《梧州日报》甘绍桐，《梧江日报》区笠翁，浔州中学监督黄宏宪、赵正平、监学雷沛鸿，教员刘崛，柳州马平县劝学所总董刘古香，南宁标营谭昌及沙街兴栈周君实，恒昌号雷鲲池等，皆为主干人物。梧州为交通孔道，接近港穗，上通浔、柳、南宁，与桂林同系同盟会的核心，孙中山特派刘崛驻梧主持。

在广西同盟会支部未成立之前，柳州方面已有多人加入了同盟会，如刘古香、谭征其、谭征献、梁洪、邓宝书、邓士瞻等。后来互相吸引，加盟日众，如王植槐、柯汉资、易公策、柯禹臣、李德山、杨秀芝、蔡劲柏、柯鸾臣、胡代民、张子翔、李子廷、宋荆洲、易和尚、谭昌、杨子安、杨友兰、胡柳琴、罗藩、李伯纯、王淑宾、杨文佩、周毅夫、周绍文、石龙飞、徐铁、刘震寰等，成为军、政、学界的骨干人士。

《南风报》

吴晋

1910年广西同盟会支部成立，为了革命需要，1911年2月13日在省城桂林福棠街二号创办了《南风报》。

《南风报》的前身是《南报》，由同盟会支部秘书长赵正平任主笔，经理梁史，雷沛鸿等撰述。经费二百余元，都从军、政、绅、学各界捐集而来。半月一期，每期刊印二千多份。因为宣传革命，出了三期以后，当局不准注册；同盟会便改名为《南风报》，倒被批准注册。于是《南报》就以《南风报》正式出版了。

《南风报》发行对象是当时各学堂及各军中的革命党人，以宣传反清革命为宗旨，内容有社论、纪事、译述、文艺、传纪等，都是选择能激发人们革命热情的题材。如该报第一期有一幅插图，图中墨竹内藏有"民族主义"四字，细看才能发现；还有一只大雄鸡对着旭日高鸣，题为"雄鸡一声天下白"，表示革命风暴即将来临。

《南风报》于广西独立后停止刊行。

陈树勋、苏绍章劝陆荣廷讨袁经过

耆　文

陆荣廷筹划讨袁，岑溪陈树勋、容县苏绍章实为协助。时陈树勋任贵州巡按使署秘书，云南宣布独立，出师讨袁，陈即辞职回梧州，旋又上南宁劝陆荣廷响应讨袁。途中，适与苏绍章同船，陈以指画字与苏密谈往劝陆讨袁事，苏甚同意。两人到了南宁，因巡按使王祖同派兵侦查旅客甚严密，次早即往武鸣见陆。陆见陈、苏两人到来，大喜。寒暄毕，陈即问陆："老帅就贵州宣慰使职，得非赞同袁氏帝制吗？"陆乃摒去左右，与两人密谈讨袁事宜。陆道："我如果不就宣慰使职，我就不可能调兵。这事，我只是同莫日初、李洁斋谈过，其余没有可谈的人。现在，你们两位到来帮忙，那好极了。可是，陈舜卿尚未同意。他明日来这里，你们共同劝他才是。"这天晚上，陆出讨袁誓词一通，叫在座的人签名。誓词结语有"倘有悔心，冷弹亡身"两句。莫荣新、李静诚两人先后签名，陈、苏两人也相继签名。第二天，陈炳焜(舜卿)来，对于讨袁事，初因畏惧袁的势力，尚有犹豫。后来陈、苏两人反复辩论，陈道："现在一般人的心理，都不以袁氏称帝为然。袁

氏必败无疑。”炳焜才没有异议。陈、苏两人盘桓武鸣数日，乃随陆荣廷往南宁。陆聘陈为督署高等顾问，委苏为秘书长，并嘱两人道：“我明日往柳州，你们可预备一切文电，俟我赴柳后，即与炳焜宣布独立。”不久，云南军队由剥隘入桂，与桂军小有冲突。陈等乃促炳焜宣布独立，以免滇桂两军误会。炳焜道：马慎堂未到百色，各部队尚未明了此事，应稍待才好。”不到几天，马到百色，炳焜夜半呼陈、苏两人道：“可以宣布了。”于是炳焜派兵往守银行及电报局，即行宣布广西独立。讨袁檄文及通告本省和各省的电文，均由陈、苏两人密撰。当时王祖同从电话问炳焜：“你派兵守银行及电报局，是什么意思？”炳焜答道：“我已宣布独立。”王道：“陆督军知道这事吗？”炳焜道：“知道。”王道：“那末，我该怎样呢？”炳焜道：“请你放心，当送你安全出境。”第二天，王祖同离邕，陈炳焜赠以五万元。此中有缘故，当王任巡按时，陆荣廷极力和他联系，借他取得袁氏饷械，所以对王也特别看待。越某日，陆荣廷由柳回邕，李烈钧自云南率兵来，梁启超也由香港取道越南而来，共同商议组织都司令部于肇庆。此为陆荣廷决定讨袁之经过。

李宗仁的“体育家风度”

陆君田

1949年4月23日清晨，解放军兵临南京城下，李宗仁于四面楚歌中“仓皇辞庙”。迄午，飞抵桂林。

李抵桂后，外间人心浮动，谣言如炽。4月28日上午，我以《中央日报》(广西版)副社长和香港《新生晚报》(该报为李宗仁所创，社长是李的义子黎蒙，前身是香港《珠江日报》)特派记者的身份，走访李宗仁。几经周折，始通过总统发言人黄雪村的安排，先找郭德洁，再由郭引见了李宗仁。李面色沉郁，精神颓萎，态度严肃。当我问及他今后的行止时，却兴奋激动，谈锋犹健。李说："国民政府好似一座虫蛀的木屋，没有风吹也得倒。我这空头总统，本抱'死马当活马医'的态度，想息兵谋和，收拾残局，解人民于倒悬，不料被别人(指蒋介石)在背后百般掣肘，苦不堪言。时至今日，内政、外交、军事、财政同处绝境，断无起死回生之望。我年轻时当体操教员，现在既然在内战中失败了，不如拿出体育家的风度，干脆承认失败，把军政大权和平让予中共，以免内战继续，生灵涂炭。于心足矣，夫复何言！"

其后，蒋介石曾多次派人邀李宗仁到广州和重庆；李不屑留恋，凛然拒绝，于 1949 年 11 月 20 日乘专机飞往香港转去美国。我于此深庆其体育家风度，保全了晚节。

李宗仁依计治赌博

萧铭新

1942 年，李宗仁之亲随卫士及司令长官部机要人员赌博成风，日甚一日。李宗仁深以风纪废弛为虑，思有以整肃。

当时，司令长官部少将参议刘仲华与李宗仁虽份属上下，实为密友，常切商机密，同桌进餐，形影不离，迨悉李宗仁欲弭部属赌风，乃密为设计。

不数日，果有卫士李卓枝、周志远以赌被逮，李宗仁立召亲随及机要室人员集合，严加训斥，并当场宣布枪毙二犯，以儆效尤，又责令听训人员三日后上交笔记，违者究罪。时会场鸦雀无声，听训者震慑特甚，参赌者更浑身颤抖，面如死灰。与二犯相处有素的同事，尤为两人生命焦急，不知所措。

惶遽中有人想到刘仲华。以其上与李宗仁十分密切，下亦与士兵关系很好，遂求刘向李宗仁进言以救两人性命。刘先故作为难，后始允为一试。

次日晨，李宗仁派人送来条谕，众人料想凶多吉少，情绪顿呈紧张；既读转忧为喜，盖条谕上言："依刘仲华言，将周、李两人释放，撤职驱逐回乡，后再有犯，任何人决不宽贷"云云。

自此后，赌风有所收敛，而官兵咸谓李宗仁恨赌，周、李两人赖刘仲华求情得全性命，而终不知此乃整饬风纪之一种方法。

李宗仁礼重徐悲鸿

徐杰民　卢汉宗

1936年春，徐悲鸿应李宗仁之邀来广西，被聘为省府顾问，在南宁举行"悲鸿画展"，并协助举办"广西首届美展"。徐至桂林时，居于八桂厅，李为其安排去漓江作画，并在阳朔赠以住宅，使其能安居作画。悲鸿因治“阳朔天民”小印，足见其快意于阳朔山水之间，亦可见李宗仁对徐悲鸿之礼重。

徐悲鸿往来阳朔、桂林，常与李宗仁晤谈。李常戏谓：“你反老婆，我反老蒋。”徐笑答：“我们两人都很大胆。”足证彼此交谊不浅。悲鸿为李作《雄鹰图》，并筹建“桂林美术学院”，李亲自过问筹建所需款项，并已于独秀峰下破土鸠工。旋抗战军兴，李调五战区，筹建工作遂告夭折。

抗战胜利，李、徐北平重晤，时悲鸿主持北平艺专，请李让出所驻营房为北艺建校址。李三日内即为办妥，并表示今后各方面均予支持。徐因在北艺新址建“德邻堂”，以谢其支持之意。后南京政府欲将北艺迁往南京，徐拒绝南迁，李亦予支持。李还为北艺驱除了一批特工人员，进步师生才得免遭迫害。国民党特务欲以“庇护赤色分子，有通共嫌疑”的罪名迫害徐悲鸿，李宗仁亦为徐辩护。

白崇禧开封遇险

梁盛材

1938 年 1 月，国民政府军事委员会决定在河南开封召开军事会议，惩办违抗军令，不战而擅自撤逃的山东省主席韩复渠。

其时蒋介石和白崇禧原拟由武汉乘坐“美龄号”专机前往参加，后白崇禧因故改坐C—16运输机先行。当时刘峙坐镇开封负责会议布置工作。他自作聪明，以为用发空袭警报代替戒严是保护最高领袖的惟一万全之策，故只顾发警报，却忘了通知高射炮部队。

当白崇禧的座机飞到开封上空时，高射炮部队误以为来者是敌机，立即连打了几十发炮弹，幸未命中。飞机驾驶员急中生智，迅速下降让高炮部队看清机上的青天白日徽号，停止射击。飞机停稳后，闯了大祸的刘峙立即惊惶万状地跑上前去迎接，当他看清是白崇禧先来，蒋未到，方如噩梦初醒，回魂转魄地连声向白崇禧道歉，并请白包涵，不要报告蒋委员长。

白乃顺水推舟，做个人情，诙谐地说：“这是鸣礼炮欢迎，没有报告的必要。”

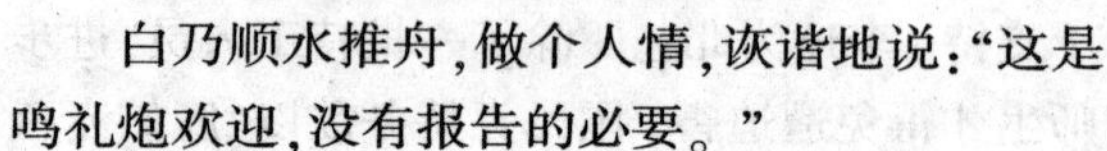

自此，刘峙对白铭感不已。逢人便说白有“大将风度”。

白崇禧崇尚国术

饶　开

蒋桂战争结束后，新桂系为增强实力，巩固其对广西的统治，提出“武化广西”的口号。白崇禧是这一口号的积极推行者。

1935年10月,白在南宁国术运动大会开幕式上发表讲话时说:“现在南宁已有国术运动,把中国数千年来文弱的劣根性革除,一洗从前萎靡荏弱的现状,这对于‘自卫’、‘武化’是很有帮助的。”在闭幕式上,他又说:“这次国术比赛具备新广西‘武化’的精神,更使我有无穷的欣慰与无穷的希望了。”

是年11月,在广西国术馆成立典礼训词中,亲任馆长的白崇禧发表了两点意见:一是“希望提倡民族斗争的精神”。要求大家去掉以往那种重文轻武和所谓“礼让为国”的恶习,“使整个民族有尚武的精神,有斗争的思想”。二是“希望我们的国术能全省统一普遍”。所谓统一,就是不要保守,“凡是学过国术的人,都要认他是同门”。所谓普遍,就是要求人人学武,“个个都是侠客”。

为实现“武化广西”,白除了兴办民团、推行军训以外,还致力于如下几件事:

1.在全省推行“醒狮运动”(舞狮运动)。白说:希望每村、街有一头狮子,军队里每连也要有一头。广西二万五千村街便有二万五千头狮,每头狮子至少有三十个舞狮壮丁会打拳,便可得七十五万人,普遍全省。

2.在军队、民团和学校普遍推行国术。白主张“军队里面可以把徒手操改为打拳,各学校的体育主任拟调到南宁来训练”。

3.大量引进北拳。过去广西民间多练南拳，练北拳的极少。观看了1936年广西第一届国术比赛后，白认为“北方拳是进攻的，南方拳是保守的。南拳实不敌北拳”。因此，他主张“南北拳都要学，先学南拳的守，再学北拳的攻。所有打得好的，不管它南拳北拳，我们都要把它留起来，使之归于统一。长的我们采取，短的我们去掉，拳术便可以有进步了”。

不管白崇禧推崇国术的主观意图如何，从普及广西武术、促进广西民间体育的发展来看，他是有一份功劳的。

黄绍竑拟在柳州建“省会”

梁 辛

新桂系统一广西之后，一直为省会设于何处而举棋不定，原因是高级领导中意见不一。有人主张照旧在南宁不动；有人主张搬回桂林；也有人主张迁往柳州，而桂东南籍将领持后一主张最力。当时省政府主席黄绍竑亦主张迁柳，暗中派其心腹第五旅旅长伍廷飏（1927年兼任省建设厅厅长）坐镇柳州，大抓各项建设，将省内各种工作重心逐渐向柳州转移，待条件成熟时，即将省会迁柳。

至1928年，为省会迁柳作准备的各项建设已完成:①以柳州为中心,修竣五条辐射公路:北横(柳州至榴江)、南横(柳州至河池)、中纵(柳州至长安)、西纵(柳州至宾阳)、东纵(柳州至石龙)。②创办了七个工厂:广西酒精厂、柳州机械厂、士敏土厂、电力厂、造纸厂、制砖厂、平民工厂。③设立了五个农林、科研、教育机构:柳江农村试验场、柳庆垦荒局、广西实业院、广西第四职业学校、广西交通专用学校。④以柳州为中心,架设了五条长途电话线:东平线(柳州—荔浦—八步,该线于荔浦分一支通桂林、全州,一支至梧州);南干线(柳州—石龙—武宣—桂—贵县玉林);西干线(柳州—大塘—宜山—六甲);北干线(柳州—长安—三江—富禄);西南干线(柳州—宾阳—邕宁)。⑤建成发报通话两用,可与太原、南京、上海、广州等地联络的电台一座。⑥完成了省政府(对外称广西物产展览会馆)九座办公大楼以及一整套辅助设施的土建工程。

1929年元旦,广西第一次全省建设会议在柳州召开。到会代表和名誉会员(两广政治分会、贵州省政府、中国工程学会、吉隆坡华侨实业团和华侨协进会、南洋华侨实业团、吉隆坡广西会馆等代表)参观以上成就后,纷纷以“卓有远见”、“有胆有识”、“成就惊人”、“进步不凡”、“广西之幸”等语来颂扬。

正当伍廷飏准备进一步施展抱负时,“武汉事件”牵动了广西政局。未几,新桂系首脑亡命出走,黄绍竑在柳州建省会的计划也至此夭折。

黄旭初衣着简朴谒孙科

古材型

黄旭初任广西省政府主席达十九年之久。任期之长,在国民党政府的各省主席中,可说绝无仅有。

黄旭初虽久居“封疆大吏”高位,但一向衣着简朴,一套灰布中山装,一双布底鞋。黄身材瘦小,貌不惊人,外表如普通平民。

一次黄赴重庆述职,单独去拜会立法院院长孙科。至传达室将印有职务衔头的名片交与传达通报,传达未予理会。黄旭初等候既久,因加催促,传达误以为他是主席随员,厉声说,“急什么?你的黄主席还未到来。”黄旭初此时才率直地说:“我就是黄主席。”传达始则愕然,继之恭敬,立即请黄旭初至会客厅。然此时在会客厅中的一个工作人员,亦未知来者即是黄旭初本人,随口询问:“黄主席已来否?”

稍后,孙科出,与黄旭初晤谈。迨黄旭初告辞后,孙科对属员说:“黄主席真像一位小学教员。”

钟毅将军佚诗一首

古材型

抗战期间第一次随枣会战后，我随广西各界慰问出征将士代表团自桂林到达鄂北襄樊，赴张家湾第一七三师驻防地慰问全师将士。

笔者忝为慰问团副团长，在与钟毅将军的接触中，感到钟毅师长不仅气宇轩昂，而且是一位有思想、有文化、有涵养、能诗善书的儒将。畅谈之余，笔者将自备的纪念册请他题词，钟将军当即挥毫写下《随枣班师》七绝一首：

跃马横戈杀贼回，军中齐举凯旋杯。
雄心一口吞蓬岛，花下传呼拿酒来！

钟将军以身殉国后，我所见收集钟将军的遗诗中，尚阙此诗，故录以传世。

孙中山在梧州下令停发纸币

陈金源　张静葵

20世纪20年代初，梧州市面流通折半通用的桂币、十足通用的粤币以及港币等各种纸币。通货膨胀已见端倪。1921年10月，戴恩赛就职梧州市政厅长。上任伊始，除征收各种捐税外，还计划开办梧州市立银行，并拟定印行纸币三百万元的章程。此举势必进一步加剧货币贬值、百物腾贵。梧州士绅商民为此纷纷联名向中山先生请愿，恳免施行。其时，孙中山为北伐事正急需军费，但经查明事实，权衡利弊后，仍下令停止印行。成立市立银行一事，亦随即搁浅。

何香凝战时生活点滴

赖奇才　凌　琦

民国三十三年(1944)夏，日寇大举进犯湘桂。寓居桂林的何香凝辗转流徙于桂东南一带。她和千家驹、欧阳予倩等一批爱国民主人士，沿桂江疏散到昭平，团结当地各界民众，成立"昭平民众抗日自卫工作委员会"，宣传抗日，并任委员会顾问。

何在昭平逗留三个多月后，取道黄姚去贺县。临行前一天，昭平各界召开"廖夫人送别会"。会上她作了慷慨激昂的演讲，愤怒斥责日本侵略者给中华民族带来的深重苦难，热忱希望全体民众奋起抗日。会场气氛热烈。

1944年冬，何香凝来到信都县(今属贺县)，住廖士汉家，历时一年多，直至日本投降。当时，信都很多人都想一识这位革命老人的风采，还送来宣纸请她作画，何香凝只是有选择地画几幅。她画了一幅《落枫》赠友人又辛，并题"半匙丹粉红于血，滴染云笺写落枫"。

后来，她自信都移居八步，经济拮据，生活艰苦；闲居之余常作画，慕名求画者也多。有人代她订了个画例："一幅画，送鸡两只，生油二斤,猪肉二斤,白糖二斤,作为润笔”,才使她的生活有所改善。

蒋介石挽叶琪

李伟谨

叶琪,字翠薇,湖南人。北伐时任第四集团军第十二军军长。蒋桂失和,李、白退据广西,叶任第四集团军总参谋长。

叶在南宁,常于清晨骑马绕市区街道一周。1935 年 7 月某日,叶的坐骑行至民生路,忽失前蹄。叶从马背上摔下,因颅骨破裂身亡,后葬于梧州市北山上。

1937 年冬,我游北山,见叶墓碑两旁,有蒋介石吊叶的挽联。联曰:“北定中原,忆当年智勇兼雄,屡以神奇成伟绩;西临蜀会,冀此日艰危共济,那堪驰骤失元良。”上款“翠薇先生千古”;下款:“蒋中正敬挽”。

蒋经国感我殓葬章亚若

苏乐民

1984年秋，受章孝严、章孝慈兄弟之托，党军(章亚若侄女)从西安到桂林，为章亚若女士修墓。党军在桂林寻觅了两个多月，终未找到章墓。后经台湾方面提供线索，谓找到笔者便可知墓址，又由有关部门协助，辗转到南宁才找到我。笔者前往桂林与党军一同在白面山找到了章氏墓。当年章亚若女士葬事是由我一手经办，墓虽年久失修，但仍依稀可辨。

记得1941年冬，章亚若在赣南怀孕后，由其结拜姐妹桂辉和胞妹亚梅伴陪来桂林等待分娩，时居丽狮路。翌年春，章生下一对孪生兄弟，遂以所居之路给他们取乳名为丽儿和狮儿。此二子就是当今在台湾的章孝严和章孝慈。产后不久，传闻章氏有疾，且日渐严重。

是年七月间某日，省府民政厅长邱昌渭电话通知我到民政厅。邱告诉我，章亚若女士已在省立医院逝世，派我去料理后事，并拨四百元作殓葬之用，指定将灵柩运往白面山安葬。

我赶到医院太平间，见章的遗体覆盖着白布，桂辉和邱昌渭夫人周淑清陪守于侧。从医院出来，我上街买了装殓的衣物并雇了六名殡葬

工，随后又到水东门河边街选购了一副杉木棺材，打电话通知警训所窦寿华秘书去刻一块石碑。

入殓盖棺之后，装载灵柩的大卡车即直驶白面山，我亲自择定了墓址和墓向，指挥十余名警士和六名殡葬工挖穴、下葬、立碑。照例燃香烛，鸣炮仗，拜祭一番方才离去。是日为章亚若女士送殡者，仅桂辉，邱夫人和笔者而已。

数日后，邱厅长转交了蒋经国先生写给我的一封短信，内曰："苏教育长乐民兄如晤：亚若不幸在桂逝世，叨蒙吾兄在百忙中照理一切。辛劳之处，铭感肺腑！刻下心烦如絮，余容后谈，即颂教祺！弟经国手书。"

蒋百里病逝宜山

韦甘睦

1938年11月4日晚10时，我国著名军事学家、陆军大学代校长蒋百里将军在宜山乐群社病逝。

蒋百里于1938年10月30日，由桂林赴贵州就任陆军大学代校长时，途中因病滞留宜山，冯玉祥将军曾专程来宜探视其病。蒋氏逝世时有日本籍夫人左梅及幼女蒋和在侧。逝世后，庆远区指挥部曾派专人赴柳州购回上等棺木为蒋氏入殓，设灵于乐群社礼堂。11 月 19 日上午，宜山各界在乐群社举行公祭大会，国民政府派黄琪翔前来主祭。驻宜各机关团体及学校师生均参加公祭。

蒋氏葬于宜山县城南郊之鹤岭。墓在鹤岭半山之北，地势开阔，风景清幽。墓碑刻“陆军大学代校长陆军上将蒋方震之墓”。碑额为“雨化群伦”，两旁对联为“桃李满宫门，筑室有贤承子贡；剑锋藏武库，童山何幸葬先生”。

抗日胜利后，蒋氏之侄来宜将墓迁葬杭州。

蔡廷锴将军的“三不准”禁令

罗甫琼

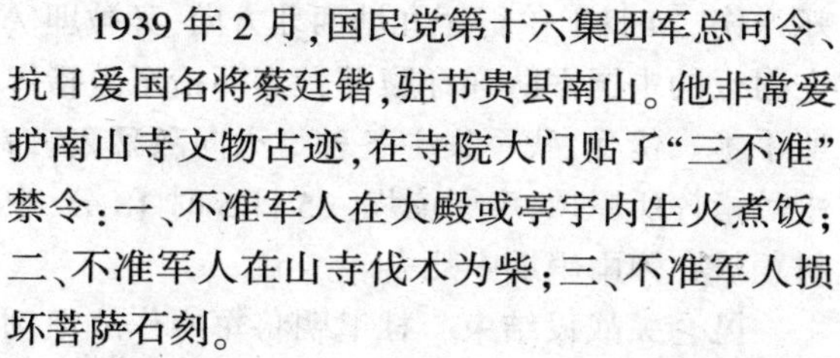

1939 年 2 月，国民党第十六集团军总司令、抗日爱国名将蔡廷锴，驻节贵县南山。他非常爱护南山寺文物古迹，在寺院大门贴了“三不准”禁令：一、不准军人在大殿或亭宇内生火煮饭；二、不准军人在山寺伐木为柴；三、不准军人损坏菩萨石刻。

蔡身体力行，在寺旁搭了一间小木屋。很少进入寺院大门。即使在他与罗西欧女士结婚之日，婚礼也不在南山寺大殿举行，而是在寺旁他住的那间小木屋里草草成礼。

当时他的部属前来祝贺，把小木屋挤得满

满的。小木凳不够坐,蔡将军笑着说:"对不起,地方窄,坐床吧!"

杜聿明为中村正雄立墓

唐依麟

中村正雄为日本军第五师团第十二旅团少将旅团长。1939 年 11 月 15 日,随该师团从北部湾的钦州、龙门登陆。占领钦州、海防后,24 日又占南宁。连陷四塘、五塘、八塘。12 月 4 日抢占昆仑关,以两个联队防守昆仑关至南宁一线。

在中国军队反攻下,12 月 23 日, 中村正雄率部由南宁向昆仑关增援, 行至七塘西北二公里处,被我荣誉第一师师长郑洞国率部阻击,左颊弹伤。24 日上午行至九塘西北方向,又被埋伏在附近的中国军队弹穿腹部, 当即抬至敌指挥所手术。傍晚,我军集中各种炮火向敌猛轰,命中敌指挥所屋顶,房屋崩塌。25 日 5 时 18 分,中村正雄在弹雨硝烟中死去。

昆仑关战役结束, 杜聿明将军照作战惯例将中村正雄葬于昆仑关烈士墓园西边的小丘上,墓前竖有一高约一米半,宽约七十厘米的石碑, 上书:"民国二十九年昆仑关战役阵亡日军第五师团少将旅团长中村正雄墓。"落款为:"陆军第五军军长杜聿明题。"此墓至今保存完好,近年时有日本人前来祭扫。

昆仑关向称险要，易守难攻，日寇重兵南侵，于此损兵折将。昆仑关战役在我国抗日战争的史册中写下了光辉灿烂的一页。

三矮万夫雄

莫冠杰

1952年暮春三月，北京中山公园内牡丹盛开，游人如潮。中有三个矮老头，银髯飘胸，步履稳健，挤在人流中谈笑风生，悠然自得，特别引游客注目。人群中有人笑道："三个矮老看牡丹，今古奇观！"

其中一矮老听了，哈哈大笑，边走边吟起诗来：

乘兴出游乐，人言笑语中；
岂知三矮子，原是万夫雄！

另两个矮老听了拍手赞道："好诗！好诗！任公奇才！"

"三矮"非别，李济深、沈钧儒、陈叔通是也。李字任潮，时人昵称"任公"。

李济深写春联

莫冠杰

1924 年腊月，李济深从广东回故乡过春节，吩咐家人备下大红朱纸，端来砚台，磨好一坛靓墨，大笔一挥，写下大门春联：

一门孝悌传家业，

万里江山入梦魂。

那时，他受孙中山的赏识，由粤军第一师师长被委任兼黄埔军校教练部主任；不久，又擢升为国民革命军第四军军长。正是青云得志，衣锦还乡之际。从对联中反映出，他当时祈望的是满门忠孝、诗礼传家之类的道德伦理观念。

1944 年，李济深从桂林返回故乡大坡山，领导敌后抗日。在共产党人和进步文化人士的影响下，他的观念发生了巨大变化。是年腊月，他在家乡过年。在除夕再次挥笔疾书，写下大门春联：

心如老骥常千里，

春入梅花又一年。

这年，任公已近花甲，但壮志不已。为了祖国的独立、自由、民主，他到处奔走，反对投降分裂政策，要求共同对敌，抗日救国。赤胆忠心和乐观精神跃然纸上。

李济深帮李达脱险

梁盛材

1939年秋，中国共产党创始人之一的李达教授,来广西大学教社会学。作为著名哲学家,他才华横溢,学识渊博,很受学生们欢迎。李达在国民党统治区用辩证唯物主义观点讲课,受到国民党特务的监视和恐吓，竟有匿名信警告他:“安分点,否则自食恶果。”但李达安之若素,照旧坚持上课。

1940年9月初，军统桂林情报站接重庆方面密令,打算先从李达下手,“杀一儆百”,打击桂林的社会进步力量。此情报被我地下党组织获悉，便请当时国民党军事委员会桂林办公厅主任李济深将军出面,给李达提供保护。李济深派亲信、副参谋长沈永之,妥善安排李达离开桂林。沈永之带上几名卫兵,连夜行动,用小汽车将李达接走,安全护送到全州。李达始得脱离虎口。

王同惠与大瑶山永存

黄汝珍　党　明

王同惠(1912—1935),河北省肥乡县赵寨村人,燕京大学社会学系毕业。

1935年9月,王与费孝通新婚不久,应广西省政府特约,夫妻俩从北平出发,路经无锡、上海、香港、广东到广西,进行瑶族社会历史考察。

他们于9月18日到南宁,广西省政府教育厅派科员唐兆民同往;10月10日到象县(今象州县),县政府派科员张阴亭陪同。11月18日,他们进入大瑶山,行至六巷(今金秀瑶族自治县六巷乡)住下。

费孝通主要从事瑶民体质测量工作,王同惠专门担任瑶族社会组织的研究。

在考察工作中,王同惠吃苦耐劳,勇敢机智,深入群众,搜集到不少第一手真实材料。虽夜卧土屋,日食淡饭,毫无怨言。他们住在石牌头人蓝公宵家,王同惠与蓝之媳蓝妹国结为"老同",亲如姐妹。经常帮做家务,晚上促膝谈心。村中大人小孩生病,她和费孝通为村民送去带来的备用药物。他们还十分尊重瑶民生活习惯和规矩。

12月16日,在完成对花蓝瑶的考察后,他们由古陈村往罗运乡转移。途中,因迷路误入阴森竹林中,费孝通误踏虎阱,被重石压伤。王同惠拼命抢救,并奔走叫人求援。因心急意乱,道路生疏,不幸失足坠崖身亡,时年仅二十三岁。经四处搜寻,七天后才找到她的尸体。村民按当地风俗,为她举行隆重的悼念仪式。后由瑶族同胞护送,费孝通入梧州思达医院(今市工人医院)治伤,王同惠安葬在鸳鸯江畔的白鹤山上。

1936 年 5 月,由费孝通亲自撰文的石碑,立在王同惠墓前(后由梧州市人民政府重建)。

1985 年 11 月 27 日,六巷乡瑶族人民,为纪念王同惠的献身精神,捐资供料,建王同惠纪念亭,并为其树碑立传。

1988 年 12 月,在广西壮族自治区成立三十周年之际,费孝通任中央代表团副团长,前来庆祝。分别于 16 日和 19 日,顺道前往梧州白鹤山和金秀六巷村,向王同惠的墓和纪念亭敬献鲜花,再一次看望和告慰与大瑶山永存的王同惠女士。

王同惠的遗著有:《百丈村》、《门头瑶村》、《花蓝瑶社会组织》等。

白鹏飞的一次讲话

黄贻平

1944年冬，日军入侵广西，第四战区司令长官张发奎避至百色，在桂柳会战检讨会上，张请军风纪视察团副团长白鹏飞讲话。白说："张长官要我讲话，恭维的话，不切实际；还是讲些逆耳刺心的话有益。两个多月来，广西沦陷七十多个县市。桂林素有'铁桂林'之称，是很难攻破的。韦云淞将军为守桂主将，纵兵掳掠、火烧民房，弃城而走；阚维雍师长孤军作战，以身殉国。韦将军是对国不忠、对民不仁、对友不义的民族败类，我为他感到痛心。夏威总司令统率几个军和纵队，却未打过一次胜仗，将军名威，'威'在哪里？张长官统率几十万大军，理应运筹帷幄，决胜千里，却惨败至此，使广西受此浩劫，必受百世责骂，我深为将军惋惜。黄旭初主席是封疆大吏，在日寇入侵广西时，却称病在成都休养，各县县长多是日军未到而先逃，至使军队缺粮供应。黄主席应负行政过失，亦应深刻反省。"白鹏飞这席话，大长爱国者的志气，大失辱国者的威风。多数听众背后都说："讲得痛快。"

白鹏飞不吃田螺

官桂圆

人疑桂林白鹏飞先生为回教徒，非也。他猪肉、地羊、天上四两、地下半斤无所不吃，就是不吃田螺。人多不解此谜。

原来白之祖父某公，清末授安徽盐道，携眷赴任，舟次淮河。遇洪汛，船颠簸触礁漏水。举舟惊惶失措，只能飘荡竟夕，听天由命。次早，风息浪静，视之，舱底一破洞径寸，一巨螺钻塞孔隙间，赖以不沉。白公全家喜庆生还，供螺于龛上，以神祀之。

自此白公后代，岁岁买螺放生，答其恩泽，至今相沿。辛未夏，鹏飞先生之哲嗣白璧公子，来全州访余。杯酒言欢，为述此事，今为濡笔记之。

马君武创办广西大学

毛松寿

1928年，广西始创广西大学，马君武博士首创之力居多,并任首任校长。

开学典礼上，他深有感慨地致词说:“广西拥有一千二百万之民众,六千余万方里之土地,而四野不辟,森林不盛,工业不兴,矿产不开,交通不便,货殖不富;当二十世纪之第二十八年,而犹以贫弱闻于中国，则不知利用世界既发明之科学，以从事于开发经营之过也。”“区区之意，所以望省内各青年，他日皆为建设中心人才,以造成发达进步之新广西”。

广西大学先办预科,后办本科。1935 年 6 月第一届本科生毕业，马君武题词曰:“学业无止境,完成本无期。学校所授与,不过其始基。发挥光大之，努力须随时。同学少年辈，发奋须有为。”诸生大受感动,虽已毕业,仍勤于学习。后经马君武选拔其成绩特优者，由学校资助赴欧美留学。计有郑建宣、杭维翰、汪振儒、徐震池、熊襄龙等人。

1939 年秋,广西大学改为国立,马君武再度出长斯校。时笔者适在该校学习,并为学生会负责人之一,因有幸常聆马校长教导。今马校长虽已辞世半个世纪,而其教诲,言犹在耳。

李四光喜获马鞍石

亚　日

1938 年,李四光率领地质研究所,从庐山迁来桂林雁山。

地质所的一位同事，在雁山村旁第四纪冰碛沉积物中,找到一块不足一寸长、弯曲成九十度的砾石,弯曲的一面有皱纹,凸的一面非常光滑。李四光如获至宝,给它特制了一个小木盒,里面还垫上棉花,并写了一篇文章,附上照片。文章题名《一个弯曲的砾石》,记述此砾石的弯曲变形,恰恰显示了岩石的弹性和塑性形变,对探讨岩石弹塑性具有重大意义,刊载在 1946 年英国《自然》杂志上,并在广西大学作过报告。

这块小砾石,李四光给它定名为“马鞍石”,一直保存在身边。

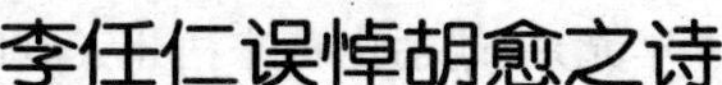

李任仁误悼胡愈之诗

李海楼

抗战期间,海内文化名流群集桂林。广西当

局罗致声望著者成立“广西建设研究会”,由李任仁主其事。胡愈之亦在罗致之列,并主持文化部,参与负责文化供应社工作,对当时桂林文化城的出版事业殊多贡献,与李任仁私交甚洽。

1940 年冬,胡愈之离桂,由香港转新加坡,音问阻隔。及湘桂沦陷,1945 年李任仁避难凌云,辗转传闻,谓胡愈之病死加尔各答,李哀伤之余,作诗悼之:

胡天不吊丧斯人,但愿传闻耗匪真;
黑白正须明眼辨,是非留待后人甄。
桂林文运多君造,星岛民权赖力伸。
一别云山隔五载,流风海外自成春。

1949 年 8 月,李任仁自香港到北京出席全国政协第一次代表大会,重晤胡愈之,握手言欢,喜出望外。道及传闻之误,相与大笑。

胡适尊师一屈膝

骆　扬

1935 年元月,胡适由穗来梧州。其时,广西大学设于梧州蝴蝶山,校长马君武是胡适在上海公学读书时的老师。马君武邀胡适在该校大礼堂向全校师生演讲,当马君武致欢迎词后回座,胡适走到马君武面前,毕恭毕敬地向马君武屈膝行礼,感谢老师培育之恩。礼毕,胡适演讲。

题目是《读书的方法》，大谈其“大胆假设，小心求证”的主张。

半个多世纪过去了，胡适当年演讲的内容大都淡忘了。但他尊师一屈膝，却给人们留下深刻的印象。

齐白石南游粤桂

韦炳林

清末宣统年间，齐白石从海口坐海南轮，到北海、钦州、灵山一带游历，时年近五十。

白石老人是农历己酉二月初七，坐小舟登岸，住北海遂安客栈，后移居宜山楼。六天后离北海，坐小汽船去钦州。

到钦州后，住镇龙楼。前来拜访白石的文人有李杞生、罗醒吾等。

天涯亭又名东坡亭，建于宋代，有石刻碑文和苏轼全身画像(现藏钦州市博物馆)。当时白石游览到此，即兴画天涯图一幅，并为友人郑朴生治印四枚。自刻“天涯亭过客”印一方，作为钦州之行的纪念。

是年农历三月初一，白石和郭五弟、罗醒吾、养源等到东兴教场骑马学车。后到防城、越南芒街。

在钦州、东兴路上，白石见山水景色，颇似

南岳衡山，入目快心，怀念故乡。沿途作画、治印甚多。特别为郭凤翔先生画了四幅以菜圃为题的佳作。当地名流自称“师北海”的严鹤云为白石世交，曾书一联赠之。白石赞鹤云书法严谨，心正笔正，书如其人，锋芒不苟。白石老人后来回忆起严鹤云学书的刻苦精神，尝书联怀友。

八月，白石由水路入平吉、陆屋至灵山。先后游览了六峰山、三海岩等名胜。对此胜地颇为赞赏，尤其把六峰山美誉为“似觉巫山，胜似巫山”。然后再换大船经贵县、梧州、广州、香港回上海、苏杭。

白石老人这次游历祖国南疆达半年之久，饱览山川美景，作书、作画、治印，不计其数。为白石老人游历祖国大江南北五出五归中的一次。直到晚年，犹追忆难忘。

拒重聘欧阳予倩赴桂林

党　明

1937年“八·一三”事变后，上海沦陷。欧阳予倩在上海租界内仍从事救亡活动，组织“中华京剧团”，在卡尔登大戏院上演他编导的《梁红玉》、《渔夫恨》等爱国京剧。日伪特务彭寿约他和日本新闻检查所主任金子中佐见面，并表示可给五十万元津贴，让欧阳开办电影公司。欧阳拒不接受。

次年4月12日，欧阳化名刘玉清搭船去港。在香港，蒋介石派员以重金邀请他去重庆，盛世才也送了飞机票聘他携眷去新疆，欧阳皆不接受。后应留日老同学马君武邀请改革桂剧，乃于是年5月抵桂林，下榻于中华大旅馆107号房。欧阳予倩幼年随父宦游桂林；抗战期间，旧地重游，在桂林主持西南剧运，改革桂剧，领导艺术馆开展话剧活动，并在这里着手编导了广西第一出新型桂剧——《梁红玉》。

梅兰芳倾囊赈灾民

梁　辛

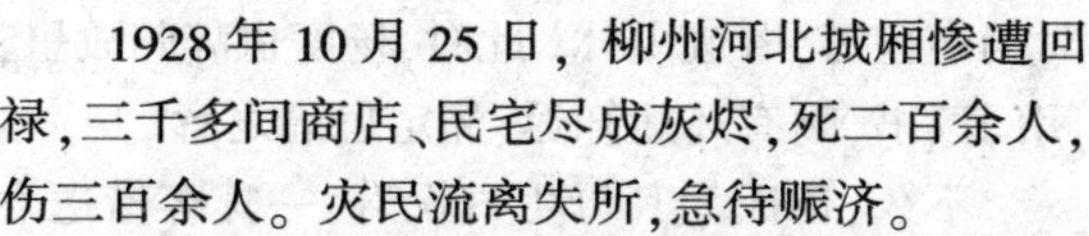

1928年10月25日，柳州河北城厢惨遭回禄，三千多间商店、民宅尽成灰烬，死二百余人，伤三百余人。灾民流离失所，急待赈济。

这场浩劫，震惊省内外。各界人士对灾情极为关注，纷纷解囊赈灾。时设在广州的两粤灾情筹赈会，展出灾情照片，印制《劝捐录》在大街小巷张贴，并刊登于广州各报。

京剧名家梅兰芳其时正在广州演出，当即把自己在广州演出的全部收入二万五千余元悉数捐赠柳州灾民。柳州临时赈济委员会用此款购米，每一灾民，可分到八斤半米。

杨度的迷途知返和雍容大度

赵师观

解放初期，我与张健甫先生同事于桂林一中。张公与一代宗师王闿运家有亲缘关系，因而常谈及湘绮先生的趣闻轶事，其中有关杨度的雍容大度，则鲜为人知。

杨度在袁世凯恢复帝制的闹剧中，扮演了一个不光彩的角色，在“筹安会”诸“君子”中，不仅名列榜首，而且积极卖力，赢得了“筹安会长”之“雅称”。

袁氏的皇帝美梦破灭后，“筹安会”诸“君子”亦声名狼藉，遭到国人唾骂，因而不得不暂时销声宦海，匿迹山林。此时，杨度也辞归故里，闭门读书，颇有迷途知返、痛定思痛之意。

不久，杨氏为其母生日祝寿，一宾客借送寿联为名，巧妙地对杨氏那段不光彩的历史加以嘲笑，寿联是这样写的：

海屋添筹，安琪天使；

香山盛会，长乐花开。

全联十六字中，寓“筹安会长”四字。家人知其有讥笑嘲弄之意，欲撕毁之。杨度阅后，胸襟坦然，并频频称赞此联不仅辞藻秀丽，对仗工整，而且用典恰到好处，不失为上乘佳作。立命家人将其悬挂于中堂显眼之处。众宾客无不羡其雍容大度之美德。

由于杨度有迷途知返，雍容大度之美德，不仅保持了晚节，还能脱胎换骨，积极争取进步。1928年前后，得到周恩来同志的帮助和介绍，秘密加入了中国共产党，并且为党做了大量的工作。1932年逝世前，曾撰联自挽云：

帝道真如，如今都成过去事；

医民救国，继起自有后来人。

可见，杨度具有一旦发现真理，便毅然投身革命、坚信共产主义必然胜利的可贵精神。

李耀臣营救张云逸脱险

李　华

1929年，张云逸不幸在南宁被捕，关押在南宁警备司令部内。时南宁警备司令张贯之与张云逸是保定军校同学，又是广东同乡，便暗中把张云逸释放。事为广西当局得悉，甚为震惊，马上下令通缉追捕。

张云逸逃至贵县，先父李耀臣(时任邕梧航线专职运输军用物资的第七巡轮船长)将他秘密匿藏在家内后楼，待风声稍静，再让张云逸扮成商人，亲自送至梧州，安全脱险。

1949年冬，张云逸从梧州乘船赴邕，就任广西省主席职。恰好我的堂叔李洪在该船上工作，张知其是贵县人，即向其打听先父消息，悉先父已逝世多年，闻之十分凄怆。船到贵县时，张云逸对李洪说："李耀臣是我的救命恩人。你马上去请李太太和她的儿子来船上见我。"

不巧当日贵县市区一商店失火，进行戒严，船只不能在贵县停泊而直驶南宁。20世纪60年代，李洪忆起此事并将经过告知我们全家，因悉经过情况如上。

邓承修在龙州勘定中越边界

李白凤

邓承修(1841—1891)，字铁香，广东归善(今惠阳)人。历任清监察御史、给事中、内阁侍读学士、鸿胪寺卿等职。因与张佩纶等人主持清议，多弹劾，有"铁汉"之称。中法战争中，他对清廷的妥协政策屡作抗争，又弹劾唐炯、徐廷旭等丧师辱国的败类。光绪十一年(1885)七月，清政府派邓承修为钦差大臣，参加中越两国勘立边界工作，次年完成中越边界广西东段。邓以清朝首席代表的身份，两次赴边界和法国代表谈判、立约画押，用条约形式确定边界。今日的中越边界，就是当时划定的。

勘立桂越边界时，光绪十二年(1886)正月初一日，北洋大臣李鸿章致电邓承修，谓与法谈判时“毋过争执，致启衅端”。初三日，邓复电云：“淇江一水天然之限，于理于势，俱所力争。拟请饬署坚持此说，修等非敢过执，缘关外边疆逼仄，非此无可设防”云云。

光绪十二年正月十一日，邓承修抵达龙州，关于勘界一事，发总署电：“附界居民畏法虐不愿改隶者不下数万，修抵龙州，纷纷呈诉。”使人清楚地看到邓承修在勘立界时，坚持原则，坚持斗争，不畏困难，不怕威胁的爱国精神。还看到清朝李鸿章等向法妥协，匆匆了结立界工作的腐败现象。

郑献甫及其挽妻联

蔡与贵

郑献甫(1801—1873)，原名存纻，字小谷，号识字耕夫。广西象州寺村乡人。清道光十五年(1835)进士，官刑部主事年余，以亲老乞养为由辞官归。两年间父母丁忧，不再仕，居乡讲学，著书以终。

他先后主讲德胜、庆江、桂林之榕湖、秀峰及广东之凤山、越华等书院。同治元年(1862)定居桂林，主讲秀峰，后又主讲象州之象台及柳州之柳江等书院。同治十二年(1873)复回桂掌孝廉书院,卒于任所,年七十三岁。

郑献甫著述丰富,计有《四书翼注论文》、《愚一录》、《补学轩文集》、《续刻补学轩文集》、《补学轩文集外编》、《鸿爪续集》、《鸦吟集》、《鹤唳集》、《鸡尾集》、《鸥闲集》等共六十三卷。

郑为经学大师,毕生讲学,桃李遍天下。死后,桂林为其建郑公亭于文庙大雄殿左侧,秀峰书院旧址,亭中刻有石碑雕像。抗战时桂林沦陷,毁于兵火。

郑氏虽一代大学者,但家庭生活却并不和谐。其妻先丧,郑曾撰联云:

> 卿亦善持家,数十年独断独行,此去好将双目瞑;
>
> 我虽云丧偶,七八口相亲相爱,迩来差觉一心安。

此联的语气,对死者似乎不够礼貌,有失悼亡本意。不过借挽联发牢骚、吐苦水,却可窥及郑氏性格中直率无羁的一面。

况蕙风自署门联

陈光宗

桂林大词人况蕙风，九岁中秀才，时称神童，与王半塘齐名，蜚声清末民初词坛。蕙风学识渊博，诗词而外，旁及金石文字，俱有高深造诣。自书姓名，于“況”字偏旁必作三点。性格率直，晚年居上海，生活极为困窘，因卖文为生，于门上自书一联：“余惟利是视，民以食为天。”于落拓中见性情，不失其真。1926年逝于上海。

其族人况琇曾和我共事临桂中学，尝为道其逸事。

马君武改“獞”为“壮”

赵大冠

广西壮族是我国古代南方百越民族的一支，秦汉以后泛称为西瓯、骆越、乌浒、俚、僚，至南宋时始称为“撞”，又作“僮”。

宋元以还，壮族人民不断反抗封建统治与民族压迫，统治者在进行残酷的镇压后，对“撞”人歧视更甚。历代文献中每每在族称上加犬旁，将“撞”写作“獞”。即使到了民国时，统治者的歧视也未稍减，一些文人在文章中仍沿旧习，致“獞”字不时出现于书籍报刊中。这种状况，引起了有识之士的不满。1932年，马君武博士到壮族聚居的武鸣县视察，看到当地壮族人民的勤劳、勇敢和智慧，十分钦佩。他著文说：“大家从来就看轻土民，苗、瑶、僮本是广西的土民，分明好好的人类，偏偏要加上犬旁，比如獞人。我们应当改为人旁，再加上一个强壮的壮字，……壮人确实是一个很有希望的良好民族。”

马君武这番话，在当时是难能可贵的。尤其提议将“獞人”改为“壮人”，更显出他的卓见。

解放后，人民政府明确废“獞”称“僮”，体现了各民族的平等。1965年，根据周恩来总理的提议，僮族正式改称壮族。马君武先生的宿愿终成现实;九泉有知,或当含笑吧!

徐悲鸿把自己画进《田横五百士》

梁上燕　韩江雪

1936年7月5日，广西第一届美术节展览会开幕。当时省府要人均应邀出席,美术家徐悲鸿等还在会上作了演说。

在广西博物馆展厅中,一幅宽四尺多,长约九尺的《田横五百士》巨画赫然在目。这是徐悲鸿先生的杰作,参观者无不啧啧称赞。

此画取材于田横辞别海岛五百壮士的壮烈场面:画面左边是田横和他的两位战友,正在与画面右边的人群拱手作别。

当时广西民政厅长雷殷观赏良久，忽然发现画中送别人群中有一位英姿勃勃，容貌神情与作者难辨为二者，他禁不住回头笑着对徐悲鸿说:“这不是徐先生吗?”徐先生颔首微笑,答道:“我为钦敬五百壮士的忠义气节，所以把自己画了进去。”

徐悲鸿为马万里画展作序

光　禹

书画金石家马万里，原名瑞图，字万里，号曼庐，又号大年，以字行。1924年毕业于南京美术专科学校，并留校任教。在京、沪执教期间，曾出版画册七种。在南京举办个展时，颇获盛誉。全部画作定购一空，其中多幅被重订购，开创当时南京画展新纪录。

1935年秋与老画家黄宾虹来广西举办联合画展。山水、花鸟，照壁生辉，盛况空前。1936年夏举行个人画展，时著名国画家徐悲鸿已到南宁，曾亲笔为之写序，盛赞马氏成就："频年以还，游艺中原者，马君万里名籍甚"，……"廿四年秋，余慕八桂山水之胜而来南宁，至则遇其贤士大夫，无不言马君者，盖马君画以其艺倾倒南中名流；先我而至，已数月于兹矣。马君画格清丽，才思俊逸，有所创作，恒若行所无事。书法似明人，得其倜傥纵横之致，而治印尤高古绝俗，余昔所未知也。"徐批评当时的画风："顾自清以降，执笔弄翰之人"，"畏难就易，辄习尚浅薄，号为简雅"，"以故雄奇典丽之作，阒焉无闻"。他提出与马万里共勉之目标，说："吾与马君今俱盛年，丁此末世，凡其颓废与所因循苟且而同流合污，腼然苟全于人心之下之艺，允宜悬为厉禁，孤诣独往，冀其高远，……知马君必当与不佞共勉，且不计世之人接受与否者也。廿五年六月，悲鸿序。”

1936年秋，徐与马共同筹办广西第一届美术展览，马任审查委员。展出徐悲鸿、张大千、齐白石、张聿光、汪亚尘、高剑父、刘海粟等及本省画家作品。展期达一月之久，盛极一时。徐与马曾合作《猫松图》。二人又与张大千合作《岁寒三友图》。

1960年马氏定居南宁，任广西文史研究馆副馆长。

张大千、马万里合写桂林独秀峰

光　禹

1938年5月，著名国画家张大千到桂林。时徐悲鸿、马万里先后至，过从甚欢。同年8月9日，张大千、马万里两人同游独秀峰，归来合写水墨画一幅。但见大约尺幅之宣纸上，一山耸立，披苍点翠，迷迷离离，若隐若现，既展现着独秀峰之挺拔气概，又勾勒出纤巧之韵致，更有一二游人点缀其间，真是活灵活现，韵味无穷。画上的题字是“戊寅八月九日与万里道兄同登桂林独秀峰合写此幅，大千张爰”。同月，马请徐悲

鸿题画，徐为题“笔墨灵妙，尽造化之奇。”又另纸书赠他登独秀峰绝句：“江山草木俱玲珑，锦帐银屏四望中，便是工师覃设计，工师也得号神工。”后马氏将画、诗并徐悲鸿为他个展时所赠序文合并装裱为一长卷，加各名家题赠诗词，竟长达六十余尺。该卷现藏广西博物馆。

马万里的长文印章与《鲲如印存》

宋光诩

马万里先生之艺术成就，世人定评为：印章最佳，书法其次，绘画第三。而马氏却以画名世，致高古绝俗之篆刻，鲜为人知。

马氏髫龄即酷嗜篆刻，每得一石，即行仿刻，再磨再刻，务求其精。由于印谱难求，尝于常州市街巷将各种广告，招贴上之图章挖下收藏，或借来印蜕描摹，久集成册，自署曰“英华荟萃”。现此册仍珍藏于其胞妹马清和处，名为《鲲如印存》。鲲如即先生乳名也。及长精研文字金石之学，心慕手追，卓成名家。先生刻印不用印床，不必伏案，左手持石，右手捉刀，坐立皆能刻削如意，可见腕力之强。所刻牙章有金石气，尤为难得。

20世纪30年代初马氏执教上海，曾刻一朱文大印。文曰："吉金寿石藏书乐画校碑补帖玩珍弄玉击剑抚琴吟诗谱曲均为曼公平生所好。"一块仅四厘米见方之石章上，累累三十二字一气呵成。识者赏之，叹为观止。

先生刻存自怡之印多达数百方，遂颜其居曰"九百石印精舍"。1938年，张大千为作《九百石印精舍图》，万里手拓一百六十八印于其后；大千复将其首印"陶铸吉金乐石"(朱文)写成"行首"，冠于图前。著名学者马一浮先生赠长题，一时名流竞相跋识，遂成长卷。己卯年(1939)立夏前三日，日寇轰炸渝城，廛市焚荡。万里所居适丁其厄，平生所作画印尽毁，而长卷幸存，现珍藏于广西壮族自治区博物馆。

林半觉为丰子恺治印

江 东

1960年，我在上海见了丰子恺先生，得其赠画一幅。先生指画上一颗"子恺"两字的印章说："这是我在桂林时一位朋友林半觉为我刻的，你可去看望他。"于是我到桂林后也结识了林半觉。

抗战期间，丰子恺在桂林认识林半觉，两人结下金石缘。林曾刻"丰氏"、"石门丰氏"、"子

恺”三颗石章，赠送丰子恺。印章刻工精致，章法自然。后丰子恺过访，林又为其刻“缘缘堂”石章一枚，边款“子恺先生督刻”，并说：“缘缘堂虽遭日寇炸毁，此堂名不可湮没，刻章留作永念。”林运刀如笔、纵横爽利，丰非常赞赏。

其后，丰子恺绘制漫画数幅，分别盖上林所刻印章回赠林半觉，作为客地相逢的纪念。

林半觉以治印知名桂林，曾为马君武刻过一枚田黄石章，文曰“桂林人”，阴文。马君武1939年后作书常用这一印章。

足球“门神”谢六逸

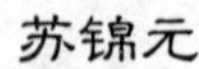

苏锦元

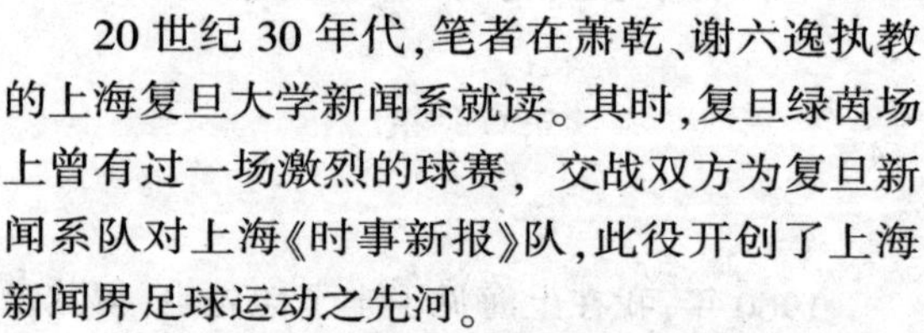

20世纪30年代，笔者在萧乾、谢六逸执教的上海复旦大学新闻系就读。其时，复旦绿茵场上曾有过一场激烈的球赛，交战双方为复旦新闻系队对上海《时事新报》队，此役开创了上海新闻界足球运动之先河。

是役，笔者充任复旦队前锋。年届四十的系主任谢六逸亦披挂上阵担任守门员。谢早年官费留日，获早稻田大学新闻学博士学位，后受聘于复旦任教。其人酷爱足球，尤擅于守门。复大延聘球王李惠堂为名誉教练，谢又得到李的悉心指点，因而球艺日臻精湛，有门神之美称。

战幕拉开，双方互有攻守，战况异常激烈。谢六逸镇定自若，处险不惊，以其准确的判断、敏捷的反应和稳健的动作，多次扑出了势在必进的险球，博得了球迷们阵阵喝彩。他那娴熟的技艺和幽默滑稽的神态，又逗得观众捧腹大笑不止。

九十分钟赛事完毕，双方以一比一握手言和。该次沪上新闻界首次足球赛与教授的出众球艺，并传为春申江畔的一段佳话。

“斗鸡山下山鸡斗”

陈家彦

20世纪20年代初，一位塾师曾以桂林著名的斗鸡山为题，拟一则上联叫学童们属对：

斗鸡山下山鸡斗；

此是回文联，顺读倒读，皆成联语，可谓天衣无缝，浑然一体，要对得好是很难的。当时有学童某对以：

龙隐岩前岩隐龙。

龙隐岩也是桂林名胜，对斗鸡山甚好，但岩隐龙对不上山鸡斗，则是明显的。只是一时并无好的，年幼学童能对上一半，虽不贴切，也算难得。于是七十多年来也就一直被流传下来。

前些年桂林老人陈光宗曾以西郊拦马石为

对：

拦马石前石马拦

拦马石亦为地名，在桂林城西。民间传说杨家将的杨八姐领兵到此受阻，桂剧有传统剧目《拦马过关》一折，就是根据拦马石的民间故事编写。此剧桂柳闻名，近年犹常演不辍。将拦马石颠倒过来作“石马拦”与“山鸡斗”为对，不仅平仄熨帖且词性工整，确是好对。

以“Q”押韵

陈开瑞

20世纪80年代初，赵朴初先生在某刊发表一首词作，词中引用了阿Q这个人物，并以“Q”押韵脚。其时有二三友人先后来言，都说这是用拉丁字母为旧体诗词押韵的创始。

笔者回忆，早在20世纪40年代，桂林陈迩冬就写有《无题》一绝赠人，诗云：

年来厌听语啾啾，
话到文坛意也休；
鲁迅已亡茅盾老，
更无《子夜》与《阿Q》。

据此，可知陈氏以“Q”入诗押韵还在赵氏之先。考阿Q“出生”于树翁笔下为1921年12月，未知在陈迩冬之前，还有“早行人”否？

一字之易

陈开瑞

1946年,正是重庆国民党政府谈谈打打、打打谈谈之秋。是年中秋,有皇甫鼎者在重庆《新民晚报·西风》副刊上发表《西江月·咏中秋》,词曰:

打得鸡飞兔走,
谈来狗肉羊头。
经春过夏又中秋,
花好月圆人"瘦"。

后羿凡间受罪,
嫦娥天上伤悲。
思来午夜共低徊,
中华民国万"税"!

词中上阕末句最后一字以"瘦"易"寿",下阕末句最后一字以"税"易"岁",一字之易,真是神来之笔。读后我用航空信致《新民晚报》编辑陈迩冬,问皇甫鼎为何许人,答函曰:"在下也。"

广西最早的一次省级运动会

饶　开

清光绪三十三年(1907)十月,“广西学界第一次游艺会”在广西省治桂林府举行。这是广西近代体育史上最早的一次省级运动会。

比赛地点设在南门外校场。参赛的中、小学堂三十九所,共九百九十人。

运动会由广西提学司主办。广西巡抚张鸣岐担任总会长,副会长是藩司余诚格、学司李翰芬、臬司王芝祥。

运动会有两个显著特点:

一是竞技性。以往中国民间传统体育重在表演,而近代体育则重在竞技。这次运动会所设的几乎都是从西方引进的近代项目,如竞走、跳高、跳远等。尤以竞走所设的单项最多,有戴囊竞走、计算竞走、拾物竞走、记忆竞走等;每项比赛都记分定名次,取前三名。跳高、跳远等项取前五名,个人以得分计名次,团体以平均分记名次。

二是游艺性。除个别项目外,多数比赛都夹杂着游戏的性质。如“暮夜进军”,先把桌、椅等各样杂物放在跑道上,让比赛者先看清它们的位置,然后用布蒙住眼睛,闻铃声后让其通过,凡能快速而顺利通过者为胜。这些比赛和今天的游艺活动相似,既比体力又比智力,既激烈竞争又轻松有趣。

这次运动会，开创了广西近代竞技运动的先河,促进了学校体育的开展,并把体育运动的影响扩大到社会。

广西女子篮、排球队远征五羊城

赖奇才

1931 年 3 月，梧州广西第一女中校长何予淑率该校女子篮、排球队一行十五人远征广州，战绩赫赫,成为粤桂女篮、排球史上的佳话。

球队抵穗的第二天，广州报纸便作了大量报道；访穗期间，球队分别与广州市的广州女队、女师队、教忠队、女中队、执信队、中大女队等六个院校的女篮、排球队比赛十二场。结果，除排球负于广州女队,篮球输给广州女中队外，其余十场皆获胜。广州六个院校的女篮、女排，强手云集，其中不乏出席过全国比赛和远征东南亚的战将，想不到竟败在默默无闻的广西一中学校队手下,一时轰动五羊城,报纸也都叫好捧场。

其时,在穗的八桂同乡会、同学会及商界人士乐不可支。球队返梧州前夕,特地举行了欢送

会，予以慰劳。

这是广西女子球队第一次出省外远征。

最后一次“祭柳”活动

陈佚生

唐元和十四年(819)，柳宗元卒于柳州任所。三年后，柳侯祠告竣，从此，柳州每年便有春秋二次的“祭柳”活动。

1946年，笔者正在柳州屏山小学(今市工人俱乐部)读书，是学校歌咏队队员。因唱祭歌，有幸参加了柳州市各界人士举行的最后一次“祭柳”。那次是春祭，抗战胜利之初，教育局设在“柳侯祠”内，所以只祭墓，不祭祠。记得离清明还有十多天，我们歌咏队就天天练习，唱那首充满缅怀哀思情调的祭歌。

清明节那天，由音乐教员蔡哨凤先生带领，我们歌咏队最先来到柳侯墓前，列队等候。祭台上已供着三牲祭品，烛影摇红，香烟缭绕，场面庄严，气氛肃穆。当社会贤达、地方耆宿到齐之后，“祭柳”就开始了。主祭人是教育局长董咸熙先生，他读完祭文后，所有站立在墓道上的人，都一齐垂首默哀。我们歌咏队便唱起了祭歌：

嗟嗟吾侯，远谪柳州。
福我佑民，惠泽州流。

植柑亭畔，种柳江头。

柳水鹅山，炳耀遐州。

祭仪结束，我们这群唱歌的娃娃，每人分得两个大面包就回学校。那帮名人耆老，都进柳侯祠等候吃祭筵。

祭柳活动曾持续不断，祭祀的歌词也可能是传统之作，足见一代政治家和文豪对后世的深远影响。1946年后，柳州再也没有举行过“祭柳”活动了。

李绍昉贺嘉庆皇帝寿联

蔡与贵

李绍昉(1791—1850)字东阳，号晓园。广西北流县清湾乡人。清嘉庆癸酉举人，己卯进士。选庶吉士，授国史馆编修。曾任河南道、浙江道、云南监察御史，都察院给事中。浙江省宁、绍、台兵备道。晚年卒于桂林。

某年值嘉庆皇帝诞辰，命朝臣各拟联，钦评甲乙。名次初定后，嘉庆发现没有李的作品。帝问李何故不交？李答：“臣如交卷，则非排首名不可。”群臣以其口出狂言，侧目讪笑。待其将联呈上，皇帝大悦，果然擢为第一。联云：

顺泰康宁、雍然乾德嘉千古；

治平熙世、正是隆恩庆万年。

此联嵌入清代自顺治以来的列朝年号，并恭维得嘉庆浑身舒坦。既然列祖列宗均在其上，嘉庆又焉能不排它在首位呢！看来李绍昉确实堪称“其人也，小有才”。

陈步高咏诗息械斗

陈师义

广西武宣县东乡一带，汉壮杂居。清代咸丰年间，往往因宗族观念之故，小有磨擦，便起械斗。其时有刁金明者在朝为官，有刘季三者也是京官。二族均属讲客家话的大族。彼此人多势众，遇事各不相让，经常发生械斗，地方极不安宁。壮族陈步高时任巡按御史，深知地方积习，因作诗讽劝地方人士，使纠纷缓解，械斗得以平息。后人常以陈诗为地方排解纷争。诗共四首，皆平易近情，附录于后：

（一）

胡为平地起风波，胜负无关事如何？
你死我亡皆故土，他乡人看笑还多。

（二）

满拟乡关义气和，谁知今日动干戈；
抢村夺寨因何事，两地分明受折磨。

（三）

我为勤王出远征，家园无日不关情；
睚眦岂比终天恨，须念姻亲莫用兵。

（四）

苦衷叠次告乡关，半载终无好信还；
望断江南双泪眼，谁收白骨满荒山。

漓江水路歌

陈栋新　廖德华

漓江旧称抚河，滩多水急，过去有“行船走水三分险”之说，加以水道曲折，里程远近不确实，大约以十里为“一堂”，约计五十九堂。

清同治年间，梧州有三秀才赴桂林省试，乘船溯抚河而上。欲知沿途水路何处算一堂，每经一地，必问船夫地名和里程，并将船夫所说沿河地名编写成歌：

欲步桂林拔桂枝，先从龙母启行期。
龙母庙头上大漓，甘村直上野牛基。
锡坡直上仟良地，倒水增繁古善基。
古善龙江驿路通，旺滩直上又乌龙。
观音下杭曾经过，上杭相连勒竹冬。
勒竹上堂为杭水，沙冲十里马江堂。

龙门见告白沙纸，陈发良丰古店庄。
古店顺行为五将，深冲上下福无边。
随征塘调昭平境，曾有高龙平峡绵。
平峡峡前为振北，桂花香气满蓬中。
福民大广黄龙宴，住在巴江广运中。
广运迢迢大碓湾，龙头向起过上滩。
南亭平乐鲤鱼铺，倒涌流向阳朔关。
阳朔上堂为老店，奇闻炮甫响山山。
曾经元宝和黄步，大访来到水记湾。
大访前缘何路去，阳堤游路到官岩。
南亭日煮三餐饭，识得大圩半土谈。
大圩直上有龙门，望见魏家何泊村。
五十九堂至此尽，人行附郭近省城。

这些地名经过百多年后，今天已经有所改变，经过疏导，航道也不似旧时那样滩多水险，这歌经作者向文中提到的三秀才中的一位后人核实写成，颇可作为漓江两岸历史地名的考察资料。

三元及第考

蔡与贵

桂林陈继昌为陈宏谋曾孙，嘉庆癸酉解元，庚辰连捷，中会元状元，为科举时代最末一位“三元及第”的获得者，曾自撰一印，印文为“科第自唐宋以后名次十三”。

也就是说，从古人数到他，连中三元的只有十三人。但郑小谷挽陈继昌联却说有十四人：

鼎甲系连元，历数前代名儒，十有四人君最后；

养疴曾七载，归卧相公旧地，两无一面我真愚。

郑说的十四人按顺序是：

唐代为张又新、崔元翰；宋代为孙何、王曾、宋庠、杨寘、王岩叟、冯京；金代为孟宗献；元代为王宗哲；明代为商辂；清代为王玉璧、钱棨、陈继昌。

两人考证之所以出现差异，问题恐怕在王玉璧身上。按王玉璧为武科“三元”。王，浙江仁和人，明崇祯己卯解元，清顺治壬辰会元、状元。陈继昌的十三人全属文科，郑小谷则把武科也算了进去，所以就有十四人了。

西林公园及其三宝

宋光诩

西林公园位于桂林城南二十四公里之雁山村旁，占地数百亩，为桂林名园。清同治年间唐岳(子实)利用办团练之权势督工兴建。该园枕山傍水，依其地势布置亭台楼榭，甚得天趣。园门立于西北角，石柱石枋，题名“雁山别墅”，门联集陶令句：“春秋多佳日，园林无俗情”，篆书阴文，出自名家手笔。入门循石径至相思洞，洞口右壁“石园记”，系岑春煊手迹，道尽园中景观特色。记曰：“是为唐子实先生手造之园。山水纯乎天，花树历久亦几于天，亭台之宜则称于天。耕则有田，渔则有池。不数十年，若尽芜废。自余购得，稍修葺之，一时已叹为名园，而想当年之盛也。”后岑氏将此园送归政府。岑，西林人，因更名西林公园。园门改在西面围墙中部，以利交通。广西师专、广西大学、广西农学院相继用作校舍，达十余年之久。

园中有三宝，盖方竹、红豆树、绿萼梅是也。方竹植于山上，已难寻觅，红豆树与绿萼梅则犹可见。

余于1940年入国立广西大学攻读，尝闻某导师云：“尔等攻读，应如方竹般忠贞坚挺，如红豆般情意绵绵，如绿萼梅之淡雅高洁，永宜师之。”殊有深意也。

盘古庙

陈光宗

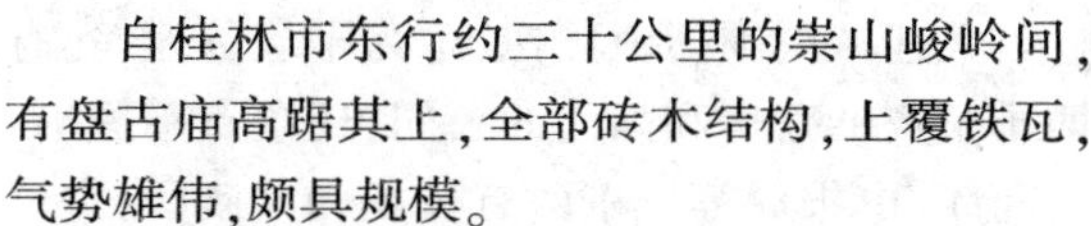

自桂林市东行约三十公里的崇山峻岭间，有盘古庙高踞其上，全部砖木结构，上覆铁瓦，气势雄伟，颇具规模。

大殿神座居中，供奉盘古皇，两旁陪祀颇饶趣味，左边是孔老夫子和太上老君，右边是释迦牟尼和耶稣基督。合古今中外于一家，聚儒、释、道、基督于一堂。跨越宗教门户的界限而别开生面，在国内外尚属仅见。

我于1949年任教大圩临桂一中，趁暑假与河南于锦绣和十数名本地学生往游。其地山高林密,时有山猪、野牛及其他野生动物出没。庙前左右有两口水井,砌工精细,掘井于高山,而终年保持水位不降,亦属少见。我们自备干粮,夜宿神殿。时当盛暑,各人仅着单衣,入夜以后极冷,几乎冻不能寐,只好分头拾取枯枝落叶,生火取暖。"高处不胜寒",至此始悟东坡词味。至今该庙仍完好。

苏元春修建大连城

李白凤　何哲夫

中法战争后,广西守边将领苏元春(字子熙,广西蒙山人)于光绪十一年(1885)在距凭祥二公里处,修建大连城,作为广西全边防务指挥中心的屯兵、练兵要塞。

大连城周围高山环抱,中为平坦谷地,建有四排整齐的营房和高大的营门,还置有军械局、火药库、电报局等。东西有校场和演武厅,宽可容万人练兵、阅兵。营门后面山腰上有白玉洞。洞内宽广幽深,可容数千人。中有石床,盛夏军务余暇,苏元春常来此避暑。靠石床沿边,有一半圆月洞,可窥月色,苏在此题有"与天争日月"的诗句,谁知后来竟被人罗织为"心存异志"的罪名,谪戍新疆。

苏元春驻军大连城，为丰富官兵的娱乐，建了一座戏台，常请艺人来演戏，又将大连城开放作墟场，让附近群众趁墟做生意。起初人很少，苏元春传话出去，凡是来大连城趁墟做买卖的，每人赏给铜钱五枚。于是趁墟人趋之若鹜，有益于军民交往。但对法国外事人员来往龙州，则不许进入大连城一步，必须绕道而行。凡路通大连城的山隘，都建有石砌关闸，兵卒日夜巡逻，严阵以待。1892 年 1 月，苏元春又在镇南关(今友谊关)金鸡岭构筑炮台，配备重炮。从此，大连城与他创建在龙州的小连城之间，绵亘一百八十多里，为南疆边防筑下一道铁壁铜墙。

“康岩”、“素洞”何处寻

龚寿昌

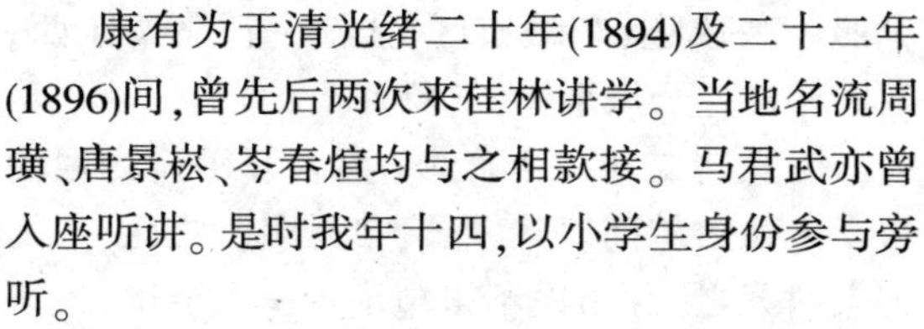

康有为于清光绪二十年(1894)及二十二年(1896)间，曾先后两次来桂林讲学。当地名流周璜、唐景崧、岑春煊均与之相款接。马君武亦曾入座听讲。是时我年十四，以小学生身份参与旁听。

康讲学之余，酷爱游览，在桂林搜山寻洞，足迹殆遍。一次偶然机会，他在北门铁佛寺山崖下发现一岩，系自古不为人知者，因题名为“康岩”。又在北附郭发现一洞，颇幽邃，题名为“素洞”。人多不解，缘康氏字广夏，号长素，故名。很多名胜，他游过后，多刻石题名或赋诗。戊戌变法后多毁。现只有龙隐岩内犹隐约可见康在石壁上的题字和署名。

梧州河滨公园

骆　扬

梧州河滨公园，位于河西市区，三面临水，环山为园。园址原名鹤岗，昔称“鹤岗返照”，列为苍梧八景之一。山之巅有昔日筑建英国领事署。花圃、球场、水池各一，曲径缭绕，古木参天，景致清幽，引人入胜，望江楼栋宇宏壮，古朴典雅，楼前植花木盆景，中为白鹤雕塑，构成鹤岗胜景。楼高三层，登楼可极目全城，南望珠江，滚滚波涛，系龙洲隐隐可见，若浮青螺，与允升塔夕照相映成趣；东瞰市区，桂江一桥飞架东西，闾阎栉比。云岚烟树，气象万千。

清光绪二十三年(1897)英人开梧州为通商口岸。强占鹤岗以建领署，自是名胜之区，成为夷人啸聚之所。市民不得窥足者三十余年。民国十四年(1925)夏，沙基惨案发生，香港华人大罢工，梧市学生亦联合抵制。英人悉数离境，领署阒然一空。民国十七年(1928)春，梧市府建议由省府补回英人建筑费港币二万五千元，无条件收回。民国十九年(1930)辟为公园，经营点缀，焕然一新。民国二十年(1931)举行揭幕，名曰“河滨公园”，盖就其地势名之也。至是，还我河山，市民得快意登临鹤岗名胜，徜徉于明山秀水之间，即景兴怀，俯仰今昔。

明秀园史话

陆君田

武鸣县城西郊明秀园，是陆荣廷任两广巡阅使时经营的一座花园。那里原来是西门外蒙家的荒地，怪石嶙峋，草木丛生，清末老虎猖獗，常噬伤人畜，村人认为是惹祸之地，便卖给富绅梁流廷经营富春园。方圆约四五十亩，江流环抱，林木葱郁，山石通幽，景色绮丽。1918年陆荣廷为了安抚护法战败归来的马济，给他经营一座花园，打了富春园的主意。梁流廷屈于陆荣廷的权势，提出以满足自己年年当官为条件而将富春园割爱；另外，还补偿银圆三千块。1919年梁就走马上任为广西西林县知事。

陆荣廷得了富春园，先是为了纪念他的叔父陆明秀，取名明秀园，经过一番改造，落成后才送给马济。粤桂战争期间，陆荣廷曾在“别有洞天”下的石台开军事会议。1921年旧历八月十五日，粤军师长洪兆麟杀到武鸣，一把火烧了明秀园的亭台楼阁。陆下野后,此园归公。

七十年世事沧桑,名园依旧。1963 年 3 月,郭沫若来到武鸣,题《武鸣纪游》五律二首,其中一首曰:

人间天地改,军阀付东流;
明秀闻仍在,武鸣事远游。
园荒林转茂,溪曲景愈幽;
公社双桥好,灵源近可求。

现明秀园辟为风景区,常有游客到此游览。

王文成公讲学处

黄万贵

广西南宁北宁街有一块“王文成公讲学处”的石碑,属南宁文物古迹之一。

嘉靖六年(1527),田州思恩土酋卢苏、王受反叛,声势浩大,总督姚镆不能制。嘉靖皇帝便起用王守仁为兵部尚书兼左都御史,总督两广兼巡抚,动员江西、湖南、两广四省兵力,以进讨卢苏、王受。守仁师次桂平之后,认为田思之乱,只能抚,不能剿,决定以教化代兵戎。守仁到南宁后,一方面遣散部分军队,以示无用兵之意,一方面派员劝卢、王投降,同时在城内东北角兴建敷文书院,并亲题匾额。还召集学子于院内讲学,敷文书院即为其讲学处。招抚劝降成功后,敷文书院又为其受降处。接受卢苏、王受投降，并抚慰其众七万一千。

守仁逝世，谥“文成”，称其讲学旧址为“王文成公讲学处”。

1936年，我任邕宁民众教育馆馆长，曾同南宁城区教育委员梁上燕，前往省立第三女子中学勘查，校内正座尚立守仁先生石刻像，我们还与校长黄尚钦合影留念。

现这一有历史价值的古迹，历五百多年风雨沧桑，空余遗址，守仁先生石刻像亦已移至今白龙公园镇宁炮台内。

桂林清真寺

吴 晋

伊斯兰教传入桂林年代较早，作为穆斯林礼拜聚会场所的清真寺，也相继建立。

穿山的清真寺建于明代，是有记载的最早清真寺。明末清初毁于战火。

清顺治十八年(1661)于西外街所建的清真寺，要算最古老的了。此后，在文昌门外城边马坪街、崇善路、盐街、通泉巷、西巷等处又增建了清真寺。民国初年还建有八角塘清真寺、民族路清真女寺。现仍保存下来的，只有崇善路清真寺、马坪街清真寺、西外清真寺、清真女寺及西巷清真寺。

崇善路清真寺是目前桂林市保存最完整的古老建筑，始建于清雍正末年，嘉庆十四年(1809)扩建，为一进三开间，砖木结构，占地面积1218平方米，构筑为中国传统形式，兼有穆斯林清真寺的特点。正屋大殿为“讲经堂”，敬奉“安拉”，顶建八角形“弥纳雷式”拱顶，南厢为净身处，北厢是“他铺”存放处。

1982年，巴基斯坦总统哈克来到寺中作礼拜，并赠送《可兰经》，还在寺外种植友谊塔松四株。

孙中山到桂林

吴晋　周通

1921年冬，孙中山出师北伐，拟到桂林设大本营。桂林人民听到这消息，欢喜若狂，立即组织了包括七十六个机关团体，二三百个代表参加的“欢迎孙大总统筹备会”。筹备会选定皇城省参议会(今广西师大)为大总统行辕。在由南门将军桥起至大总统行辕止，长达十里的街道上，主要道口均用松树扎牌楼，家家户户悬挂国旗，张灯结彩，美观极了！此外，还在将军桥搭建一座五色斑斓的彩棚，特别引人注目。行辕头门悬额上写“元首明哉”四字，挂联一副云：“麒麟凤凰来集,圣人莅止;虎貔熊罴止齐,夫子勖哉。”

是年 12 月 4 日，当孙大总统抵达桂林时，礼炮齐鸣,人群雀跃,欢呼万岁。夹道欢迎的群众队伍由城内排到将军桥,盛况空前。当时,桂林城有居民约七八万人,欢迎者竟达三万之多。

桂林民众为孙大总统的到来，谱写了欢迎歌。歌词为：

跸节兮遥临,桂岭兮生春。
君子兮至此,万众兮欢腾。
笑徐逆抗命,伪廷卖国计空逞。
曹吴贿选,袁贼毁法人共愤。
不见武鸣陆,祸桂残民终自焚。
不见谭、陈、莫,穷兵黩武终逃奔。
到头来还是强权失败民权胜。
三民主义真,欢迎我元勋!

孙中山在桂林时,喜欢接近群众,没有丝毫官架子,几乎无论什么人去请见他,他都接见。

有一次,他接见一批地方父老时说:“过去,人民是帝王的奴仆,今天,我是四万万同胞的奴仆;地方有事,尽管来找我。”因此,地方人士也乐于去找他。一次,“新中国学社”(当时桂林一部分追求进步学生的团体)的负责人李铭勋、李征凤、谢铁民等去向中山先生募捐,他亲切地接见了他们,给了一笔捐款,并谆谆诱导他们说:“你们研究学问,不要死啃书本。如果专读死书,就会人云亦云,好像炒冷饭一样,不会有创见的。真的知识,真的学问,必须在躬行实践中才能得到。比如革命，如果自己不参加，无论如何，是不能深切体会什么是革命的。”中山先生的一席话，贯穿了他的革命思想，不仅对当时革命青年有启发，至今仍有教育意义。

名教授上舞台

陈雁来

1936年春，广西师专师生组成的话剧团，在桂林首演果戈理名剧《钦差大臣》，自此，中国新兴大型话剧在桂林写下值得纪念的一页。

当时，不少进步学者、专家如陈望道、邓初民、施复亮、夏征农、沈西苓、杨潮(羊枣)等都在广西师专任教，他们不仅传播革命思想，还为进步文艺的开拓，披荆斩棘，呕心沥血。其中沈西苓在校教《戏剧概论》，他为师专剧团的成立和演出，付出了较多的精力。

《钦》剧由沈西苓执导。虽是师生合演，但剧中主要角色大部分由老师担任。如身躯魁伟的邓初民，扮演安唐市长；夏征农和另一位教授，分别扮演被安唐市长派去寻找钦差大臣的两个“草包”，杨潮扮演假钦差。剧中人物的不同性格，诸教授演来各臻其妙。其中杨潮将假钦差这个人物在落魄时的寒酸相与富贵后的油滑相演得维妙维肖，可谓炉火纯青。

新兴话剧当时在广西还是一片荒漠，桂林几家戏院还没有一个像样的舞台可供演剧。因此《钦》剧的舞美灯光都受限制，远不能烘托剧情。服装更是捉襟见肘。记得安唐市长头上那顶旧俄式呢帽，还是用纸板糊成的。当邓初民把它摘下来恭迎"钦差"时，露出了破绽，剧场立刻哗然哄笑起来。

《钦》剧演出不久，广西大学学生剧团紧接着又演出了《怒吼吧，中国!》。一年之内，新兴话剧在八桂这块新垦地绽开了反帝、反封建的两朵红花。

"我们是斯大林派来的"

官桂圆

抗战伊始，第五路军总司令部政训处设立国防艺术社，延聘文化界知名人士如万籁天、封凤子、阳太阳、陈迩冬等入社，共同开展抗日文艺工作。全社青年社员共 60 余人。

1938 年 7 月某日下午，国艺社接到总司令部紧急命令："立即作好准备，赴某地作慰劳驻军演出。待命出发。"接着从总部开来几辆军用卡车，将景片、服装、道具和全体演职员，运载至环湖西路桂林女中门前待命。我闷在车上问领队人陈迩冬究竟去何处？他也不明去处，只答曰:"有点像绑架。"

直等到华灯初上,车才开出南门。郊外一片漆黑,汽车左弯右拐,颠簸异常,不像在公路上正常行驶。半小时后,在一座密林内停下。

下车一瞧,我们已置身于林中的一块简陋的篮球场上,电灯如繁星在天,亮如白昼。东端有临时搭盖的戏台,台下摆有长达20余米的茶座,上面堆满水果、西点和香烟。

除剧组装置人员先去装台外,其余都参加慰劳驻军的仪式。待驻军列队入座和我们握手时,才发现他们都是外国人。宾主分坐两边,经翻译介绍,方知他们是苏联来华助战的空军战士。我给我对面的一位苏联客人递上一支香烟,他握住我的手说:"谢谢!我们是斯大林同志派来的。"陈迩冬请他谈谈来华观感,他笑着说:"我说的话请不要公开发表。我想请你们将苏联飞机的形状、颜色和声音的特征向市民们多多宣传,以免误认为敌机而自相惊扰。"

慰劳晚会开始,先由苏联空军上台合唱了《国际歌》。国艺社音乐部的同志唱了《义勇军进行曲》和《伏尔加河船夫曲》。接着演出欧阳予倩编导的《青纱帐里》。

就在这个晚上,我见到了苏联援华来广西的第一批空军。有了他们,从1938年下半年起,日本侵略军的飞贼,确是不敢轻易闯入桂林上空了!

邹鲁桂林独秀峰赋诗

党　明

1938年夏，国民党元老、中央委员、中山大学校长邹鲁先生来桂林，由电政管理局局长梁达常陪同游独秀峰。登高远眺，俯瞰桂林风光，邹鲁感慨系之，赋五律一首：

独秀峰头立，群山一望中。
峻嶒皆拔地，环拱似朝宗。
特立宁孤德，岿然自众崇。
天南柱石在，突兀撑青穹。

诗后有附记曰："民廿七年夏，携说儿来桂林，由梁达常、赵善安、陆献琪三兄导游独秀峰，赋诗一律以纪念。邹鲁。"

诗刻于独秀峰西麓，时当日寇进逼武汉，形势紧急，投降派又有媾和之议。邹鲁此诗，隐示要站在国家民族立场，坚持抗战之意。

欧阳予倩笔刺邪恶

庆　松

汪精卫天生一副小白脸，性好修饰，爱擦雪花膏，夙有"美男"之称。

1938 年，欧阳予倩编导桂剧《梁红玉》，剧中投金汉奸王智上场的念白："天子重英豪，文章教尔曹。要想高官做，多擦雪花膏。"这是欧阳老刺向亲日派的投枪。

"皖南事变"后，反共高潮复涨，新桂系文禁森严，成立"广西图书杂志出版审查处"。对进步人士的著作送审，往往以"有政治色彩"为由加以刁难。欧阳老恨在心里，在改编桂剧《桃花扇》时，专门让剧中两个小人物上场插科打诨："新书出卖，新书出卖。你爱写，我爱卖。他有书出版，我有钱进袋。人家说我有色彩，我也不赖，我也不赖！"这又是欧阳予倩刺向特务文审官的匕首。

《夜光杯》三绝

佺　州

1939年1月，洪深在桂林应国防艺术社邀请，为该社执导《夜光杯》。《夜光杯》原为五幕剧，经先生删改为四幕。

首次排戏，因国艺社剧组人员迟到半小时，洪长叹一声，掉头离去。次日，国艺社社长李文钊率剧组登门道歉，洪声色俱厉地说："演戏就是打仗，必先严军纪！"

饰演剧中女主人公郁丽丽的唐若青，是名导演唐槐秋之女，因赴港探父路过桂林被邀客串。她是京沪颇负盛名的话剧演员，在排戏中，数她用功最勤，守纪最谨。人问其故，她说："在上海演戏，谁不知道洪伯伯，他可严啦！"

十字街头，耸立专为《夜》剧演出的巨幅宣传画。画中郁丽丽云鬓披拂，高擎玉盏，媚眼含愁。来往路人，未曾看戏争看画。是名画家叶浅予的大作，生动引人。

戏在新华电影院上演，从1月30日晚起至2月6日晚止，共演八场，皆爆满，誉满桂林。

此剧由于洪导演，唐客串，叶作画，一时赞为"夜光杯三绝"。绝者，萍泊蓬飘，绝无仅有的一次凑合也。

舞蹈家吴晓邦在桂林

柏　邻

1940年4月12日，吴晓邦应广西省立艺术馆欧阳予倩馆长之聘，由渝来桂，出任艺术馆研究员兼舞蹈训练班主任。4月19日，舞蹈训练班招生。5月8日正式上课，课程均由吴晓邦编定，由他的三个女学生吕吉、盛婕、杨帆任教。参加训练班的学员三十余人，均来自桂林各行各业的业余舞蹈爱好者，他们为了桂林舞蹈事业的发展，舞蹈服务于抗战、服务于大众贡献了力量。

吴在当年《救亡日报》第四版《文化岗位》上发表论文《说舞俑》。文中给舞俑下的定义是："像音乐、文学、绘画一样，它是个独立的艺术，是人类在一定社会生活中以人体动的样式来表现生活的一种艺术。"舞俑艺术包括诗歌、小品、新兴舞俑；民谣童谣舞俑；学校舞蹈和体育舞蹈；原始人的舞蹈；舞俑领域的最高表现样式为舞剧。

是年6月6日，为纪念新安小学成立十一周年，吴晓邦为新安旅行团编导的舞剧《春的消息》在乐群社礼堂上演。10月21日又为纪念新安旅行团成立五周年，上演四幕大型舞剧《虎爷》,大大推动了桂林舞剧运动的发展。

为普及舞蹈教育,7月7日,吴晓邦和吕吉在桂林各艺术团体为纪念抗战建国三周年,在乐群社礼堂举行歌咏舞蹈晚会,上演了五个新型舞蹈:《丑表功》、《倭寇现状》、《血债》、《恶梦》、《徘徊者的末路》。这五个节目的演出,对唤醒民众,引导人们投身抗日洪流,教育人民增强抗战必胜的信念,产生了很好的影响。

端木蕻良咏晴雯

陈开瑞

1940年,桂林中北路口新开一间嘉陵川菜馆。新张那天,店门外不写菜谱时鲜,却高竖大幅广告牌"灯谜候教"四个大字。我年轻时爱猜谜,被引进了这间餐馆。

谜棚一直由店门向内延伸三间餐厅,两壁红绿谜片缤纷,目不暇接。其中一谜片的谜面令人注目:

文——射《红楼梦》人物一。(奉奖川菜一席,并由作者即席赠诗一首。)

也是我年轻思想活,转了几下脑筋,即伸手揭片报底:"晴雯!"

话音未绝,只见谜棚台上站起一人大声回答:"高中!"那人随即步下台来,笑盈盈上前与我握手为礼。我见他身穿长衫，面庞清癯，气宇不凡。互道姓名后，方知他是国内著名的红学大师、作家端木蕻良先生。

谜棚未备笔楮，端木未能即席挥毫。次日他给我送来用宣纸挥洒的一张条幅，写的是：

未到巫山已有情，空留文字想虚名。
可怜一夜潇湘雨，洒上芙蓉便是卿。

五十年韶华流去，难忘这“文”字因缘。

田汉为沈同衡、徐杰民题画诗

卢汉宗

抗战时期，画家沈同衡居桂林，任广西艺师教务主任。1942年春节后某日，沈访田汉，出近作水墨风景画一幅请提意见。田汉见所画为广西艺师所在之正阳楼(明靖江王王府正门)，颇为高兴，遂题诗一首。诗曰：

正阳楼阁耸青云，中有三千艺术军。
笳鼓不闻弦诵起，春城草木发清芬。

题毕，沈同衡问：“‘三千艺术军’是否过于夸大?”田汉笑着说：“不夸大，不夸大。孔子一人尚且弟子三千，咱们难道不如他?现在谦虚点，就算三千，将来发展起来，其影响、作用，肯定要远远超过他!”

嗣后，画家徐杰民也请田汉为自己所画的

正阳楼题诗。田汉再将此诗题于徐的画上(此画现为徐的遗孀收藏)。此诗后来谱为歌曲在广西艺师、美专、艺专校友中流传。可1982年出版的《田汉文集》却未收入此诗。

我闻此事于沈同衡和徐杰民二师,因记之。

风雨归舟

陈开瑞

《再会吧,香港》一剧,始遭国民党当局禁演,1942年末,终由"新中国剧社"改名为《风雨归舟》在桂林演出。知识分子欣喜若狂,都以好戏多磨,姗姗来迟为憾事。

其时,桂林中学国文教师黄芬,为指导学生学习楹联,在校园内悬出一联云:"一川风雨归舟晚",向师生征对,表达了这位老年知识分子对进步戏剧如饥似渴的心情。

出联因涵《风雨归舟》这一剧名,要对好下联就非易事了。据黄先生事后相告:评选结果,仅有二联可取:一、以京剧剧目属对,联为"三春天女散花余",虽平仄失调,尚勉可入选。二、以桂剧剧目属对,联曰"满地梨花送枕香"。盖桂剧有《梨花送枕》,与《风雨归舟》相对,浑成自然,可谓天造地设。

桂林文化界聚会祝洪深寿辰

蔡定国

1943 年 12 月 31 日，桂林文艺界在广西艺术馆集会，庆祝著名戏剧家洪深五十寿辰。

会上，柳亚子兴致勃勃地挥毫赋祝寿诗一首：

剧国文坛几霸才，
洪郎五十气能恢。
巴山此日开筵未？
愿献漓江作酒杯。

会后，全体与会者到嘉陵川菜馆聚餐。席间谈笑风生，即兴联句赋诗，诗中嵌入洪深创作的《香稻米》、《劫后桃花》、《寄生草》、《醉梦图》、《包得行》、《压岁钱》、《黄白丹青》、《风雨归舟》、《飞将军》等剧名：

洪深一代才（端木蕻良），
才大如江淮（柳亚子）；
照人以肝胆（宋云彬），
叱咤生风雷（田汉）。
名成不怕死（萨空了），
艺逐蔷薇开（田汉）。
啄食香稻米，桃花劫后灰（周钢鸣）。
离离寄生草，仆仆京华街（端木蕻良）。

铁板录红泪，醉梦图悲怀（田汉）。
犹有包得行，妙笔脱旧胎（柳亚子）。
压岁钱多少？海棠花之魁（安娥）。
黄白又丹青，慷慨共徘徊（欧阳予倩）。
风雨压归舟，把舵不可歪（熊佛西）。
今日为祝寿，美酒红香腮（向秋）。
心如飞将军，遐龄祝浅哉（仲寅）。

这首祝寿诗由众人联句，别开生面，浑然天成，一时传为佳话。

柳亚子诗钟作投枪

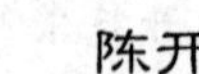

陈开瑞

1943 年 5 月 28 日是柳亚子先生五十八岁诞辰。桂林文化界人士发起为他祝寿，公宴柳老夫妇于中北路嘉陵川菜馆。

当时国内环境十分险恶，国际形势恰当希特勒东侵苏联，大家都不免愤时忧国。作为祝柳寿的一个插曲，是由柳老倡议以掌故和时事作为诗钟征联，命题是《分咏元祐党籍碑·希特勒》，以柳老和田汉品评月旦。

当时，应征者甚多，一月之后评定名次。获奖的三联是：

谁令南渡朝廷小？（元祐党籍碑）
失喜东侵气焰消。（希特勒）

涑水眉山双第一，
戈林赫士二而三。

天生黛石千秋恨，
梦到红楼第几重？

第一联的作者是王冷斋，卢沟桥事变时的宛平县县长。其上联用南渡偏安暗讽蒋介石抗战不力，积极反共；下联寓苏联阻遏法西斯凶焰。

次联为柳老(一说是田汉)所作，构思巧妙。上联指党人碑宰臣列名第一的司马光(涑水人)，待制列名第一的苏轼(眉山人)；下联则借用希特勒的话："戈林死了有赫斯。"斯与士谐音。

第三联为端木蕻良所作。此时他正忙于将《红楼梦》改编为话剧，联中用"黛石千秋恨"寓党人碑，用"梦"寓希特勒东侵苏联的野心，可谓联意双关。

徐悲鸿墨宝隐昭平

卢汉宗

1944年日军二次侵桂前，徐悲鸿在渝汇款三万元到桂林给张安治，嘱其代为转移隐藏在桂林的作品和珍藏的书画。在李济深将军帮助

下，部分书画由徐悲鸿的秘书黄养辉抢运入渝。尚余七大箱由张安治、徐杰民请老实憨厚的本地人士陈学仁、滕本仁用木船装运，沿漓江运抵昭平县桂田寨周日盛家中隐藏。日军占领昭平县城时，因隔一水，这批书画得免掠劫。

1952年徐杰民写信给徐悲鸿，告以藏书画的经过和地点。徐悲鸿复信给徐杰民说："鄙藏昭平之物，暂予勿动。"稍后，七箱书画由平乐专区专员蒙谷同志专程运往北京，璧还徐悲鸿。

张安治忆及此事，曾赋一诗给徐杰民："当年敌忾漓波涌，今日天涯白发新。常忆扁舟阳朔路，千峰如削入兴坪。"

小飞燕与《哑子背疯》

梁寄尧

小飞燕是桂剧名伶方昭媛的艺名，方是桂剧四大名旦之一。她戏路宽广，拿手好戏颇多。抗战时期，田汉先生在桂林看她演出的《哑子背疯》，曾叹为观止。欧阳予倩先生亦有好评。

桂林沦陷，我避居融水，燕姐逃至长安。有幸谋面，谈及《哑子背疯》。

该剧出自目连戏，一哑翁背疯瘫少妇去卖唱讨赈。由湘剧传入，后经桂林历代艺人加工锤炼，已远超湘剧，成为桂剧一出难度较大的旦角特技剧目。剧中一人饰演两人:一翁一妇,身份各异,且要边唱边舞,唱不歇,舞不乱,一招一势,皆要踏在锣鼓点上。

她祖父方山九，是民初桂剧艺人，懂戏很多,人称“戏包袱”。曾闭门秘授“小飞燕”,演好“背疯”第一要把剧中的“甘州歌”、“孝顺歌”唱好,高腔曲牌,要唱得字正腔圆,人人易懂。第二要扇花要靠腕工,练两手掌的旋转。要练到耍出来的扇花,不会被人看出扇子,只见一个八寸彩球在手上旋转不停,行话叫“扇不离手”。第三练台步,一般演出中走的台步,舞蹈性不强,最好是用“跳加官”的健步。每走一步,上身要做少妇举手高耍扇花头的动作,腰部同时扭动一下,要步步踩在锣鼓点上。祖父教得严格,为演好这出戏,打下了基础。

小飞燕于 1949 年因抗拒包办婚姻而自杀。1952 年第一届全国戏曲观摩会演前，田汉先生代表文化部专程到桂林预选节目，看了许多名伶名剧皆不满意。最后他说:“记得桂戏有出《哑子背疯》,小飞燕演得最好。抗战时期,舞蹈家戴爱莲曾向她学习。现在小飞燕死了,难道就没人擅演此剧了吗?!”第二天,市文化局又组织各剧团上演《哑》剧,田老一连看了四场,但始终没有一个演员被他点头许可。难怪桂林的老观众说:“这出戏给小飞燕带走了!”

“救亡夜呼队”

党　明

1932年“一·二八”淞沪抗战爆发，桂林各界纷纷开展各种形式的救亡活动，省立三高中、三初中、女子二中、桂山中学等学校组织了“救亡夜呼队”。

夜呼队每队十二人，分为三个组，每组一周内轮值两个晚上。轮值的学生于当晚零时到校集合，查点人数后，各组负责人手持火把，带队到划定地区街道巡行，一边走，一边大声高呼：“同胞们！醒起来吧！”“日本帝国主义打进来了！打到家门口了！”“国家兴亡！匹夫有责！”“有力出力！有钱出钱！”“打倒日本帝国主义”等口号，直到东方发白才收队回校。

当时，夜呼队清脆的口号声，四城呼应，回荡夜空，刺破了夜的宁静。沉睡中的人们，闻此呼声，则生枕戈待旦之情。

一弓一剑一神鞭

梅尼文

粤剧艺人关德兴(艺名新靓就)，于抗战初在广州组织广东粤剧团出海外宣传抗日，义演募款救国，一时有“爱国艺人”之誉。田汉赠诗云：“不作寻常粤剧家，一弓一剑走天涯。但求救得唐山在，我辈何妨做傻瓜。”诗中的“唐山”，为海外华侨对祖国的习称；惟“一弓一剑”，当时尚不知所指为何？

太平洋战争爆发后，关氏于1942年夏率团抵桂林，先应桂林市伤兵之友社邀请，为筹建荣誉军人新村举行义演。其后又假座正阳门高升戏院演出，先后主演《讨荆州》、《岳飞》及《神鞭侠》等剧。均以演技精湛，获得佳评。

关长于武功杂技，每晚演出结束，应观众之请，卸妆出场献技，舞剑如游龙；挽三百斤强弓，连开三把，毫不费力；压轴绝技是表演挥动长鞭，面对五米远的九支参差不齐的烛光，连发九鞭，烛影一一应声熄灭，而烛身纹丝不动。复以鞭代兵器，掼、摔、抽、缠，无招不精。《神鞭侠》一剧，便由欧阳予倩根据他这一绝技编写。

由此，田汉所咏“一弓一剑”之外，关德兴还多一条“神鞭”。可谓名不虚传。

最早的体育工作者——赵鲁生

余 生

广西第一个在省外参加比赛的运动员是赵鲁生,同时,也是广西最早的体育工作者。

赵鲁生的长兄赵兰生清末在广州工作,早年他随兄闲居广州。清光绪二十七年(1901),马君武赴日本留学,路经广州,因赵与马是至交,因托他携带赵鲁生同赴日本留学。赵鲁生学成回国,经过上海,恰好中国首次运动会在上海举行,赵鲁生报名参加田径赛,荣获百米跑冠军。载誉回到桂林,地方当局便请他到甲种工业学校当体育教员,不久他又到广东潮州、梅县一带当体育教员。后来回广西,先后在桂林、南宁等地,搞的都是体育工作。抗战期间任桂林体育场场长。

他擅长太极拳,学的是吴式架子。早期广西学吴式太极拳的多是经他教导的。

说来有趣,他去日本留学,学的是土木工程,终其一生搞的却是体育工作。

1960 年,赵鲁生卒于南宁。

最早在桂林举行音乐会的外国人

陈光宗

1942年春，美国传教士黑石(BLACKSTONE)夫妇自湖南来游桂林，与桂林青年会总干事梁传琴相识。当时，梁兼任桂林青年中学校长，苦于学校经费困难，无法筹建校舍，因而商请黑石开一次音乐独唱会，为学校筹集基金。音乐会在义学巷国民戏院举行。我是这次音乐会主持人之一。演出一连三天，由黑石夫人钢琴伴奏。黑石是美国著名男中音歌唱家，演出时场场爆满，效果很好。

黑石是第一位在桂林举行音乐会的外国人。

桂林盐埠李氏

陈光宗

清道人李瑞清为嘉庆年间书画名家李春湖从孙。民国初年，瑞清享誉全国，名画家张大千即师事李瑞清学书法。李氏世居桂林称巨族，“盐埠李家”，固尽人皆知。然而，李春湖与李瑞清两人在书法作品中自署籍贯，均为江西临川，其原因实出于科举时代的一桩冒籍官司。

李氏先祖李丹忱于康熙末年来桂林，从事小贩，肩挑布担，遍及近乡。某日，于渡船拾得包袱，内皆金银珠宝。心想失主必定着急，于是坐等渡头，候失主来寻。随见一人怆惶而来，诉说失物为家中人洗雪冤狱所急需。李原物归还，失主称谢而去。后来，失主冤狱得申，官广西盐道，因访寻李丹忱，委以专卖广西食盐，李氏遂成为垄断一省之大盐商，“盐埠李家”之称始于此。

乾隆初年，李丹忱三子均已长成，欲就地参与乡试。当时，士人轻视盐商成风，并因李丹忱以小贩起家，众人目为暴发户，于是群起指斥李氏诸子冒籍。经学台裁定李氏不准在桂林参与乡试，并于王城内贡院门前立石刻碑。自此，李氏子孙均回江西原籍参加科举考试。李氏子孙由此发愤读书，不但连捷科第，且均学有所成。嘉道之间，李秉礼诗、李秉绶画、李春湖书，并称桂林三绝。直到民国初年，李瑞清仍以书法著称于时。溯康熙至民国十八年清道人李瑞清逝于上海，李氏世居桂林垂二百年，仍自称临川人，原因即在此。惟近数十年来李氏子孙繁衍众多，已不复再称其籍为江西临川了。

陈砚楼与韦石

余　生

王寿龄号芰生，工书擅画，墨梅尤佳，名重一时。抗战期间年且八十，虽在敌机轰炸下仍每天以写字为日课，可见前辈用功之勤奋。

王芰老生平好藏砚，搜集逾百数十方，多为珍品。其书画常用“二十四砚斋”闲章压角，名其楼为“陈砚楼”。桂林沦陷时，家人掘地埋砚于宅中，劫后归来觅之不得，数十年来亦未在桂林出现。亲旧有谓为其长孙私自售与外地来客，不知归于何处。

诗人李秉礼(1748—1830)，为清道人李瑞清祖辈，尝得奇石，纹理天成，神似“韦”字，石质通透，笔划清晰，视为至宝，因名所居曰“韦庐”，自号韦庐老人。后李氏家道中落，后人不能保有此石，贱价售于市人，后亦辗转归王氏。抗战前，我曾见之于“陈砚楼”。胜利后与王氏藏砚一起不知散落何方矣。

龙启瑞与广西桐城派

陈竹残

清代乾嘉以后，广西文风鼎盛，名家辈出。其中桂林的龙启瑞、朱琦；永福的吕璜；马平的王拯和平南的彭昱尧均为古文名家，习称“桂岭五家”，俱属桐城一派。文章义法，俱守归有光、方苞、姚鼐一脉。及郑小谷，亦以桐城门户自守，郑遍长各地书院，门生众多，影响所及，致整个广西文风无不以桐城派为依归。及其死后，桂林尚于孔庙左侧建郑公亭以作纪念，抗战时始毁于劫火。

广西桐城派名家中，以龙启瑞成就最大。龙不仅长于诗文，且精于经义及音韵之学，并工填词。近代学人以古文、经师，而又兼工填词者，以龙启瑞名最著。其《经德堂诗文集》为诗词杂文，《古韵通说》为音韵专著，词集名《汉南春柳词》。王先谦编的《古文辞类纂续编》中，不少广西诸家之作，而采录龙启瑞的文章则多达十五篇，数量仅次于姚鼐、梅曾亮和曾国藩。足证他在晚清古文名家中所占的地位。龙启瑞卒于咸丰八年，曾国藩曾有联悼之。

杉湖诗派

亚　日

清道光、咸丰年间，桂林文坛聚集了一班诗人，相与唱和，名重当时。后来广西巡抚张凯嵩于同治六年(1867)，把其中的十大诗家的诗合刻为《杉湖十子诗钞》。因此，人们就称这些诗人为“杉湖十子”或“杉湖诗派”。《杉湖十子诗钞》刻本，今入桂林图书馆库藏。

杉湖在桂林市中心，唐时为护城河。宋以来城区扩大，遂为内河，称阳塘。宋于阳塘中心建生带桥(即今阳桥)，分湖为二，以前统称杉湖。后因湖东多古杉，仍名杉湖；湖西有古榕，名为榕湖。沿堤垂杨夹岸，绿水涟漪，小楼水榭，参差其间，湖光山色，景致清幽。因而，“杉湖十子”及诸多文人，多觞咏于此。

“杉湖十子”是指：临桂的汪运、高书浚、朱琦、龙启瑞；山阴杨继荣；平乐曾克敬；平南彭昱尧；临川李宗瀛；南丰赵德湘以及灌阳黄锡祖等。

“杉湖十子”的诗颇具特色，他们先讲学问根柢，再以国家及人生大事入咏；不但追求诗的词藻法度，而且注重实际内容，恰与当时诗坛上空疏的名士派不同，因而自成诗派，对当时诗坛颇有影响。

忻城壮锦

韦业猷

忻城壮锦历史悠久，明万历年间已为贡品。迄清代，壮锦生产遍及县内乡村。道光八年《庆远府志》记载，忻城“僮(壮)女作土锦，以棉为经，以五色绒为纬，纵横绣错，华美而坚”，“岁贡土锦四色(即品种)，长达二十端(古制布帛长二丈为一端)”。

民国二十六年(1937)五六月间，在上海举行的全国手工艺品展览会上，忻城送展的壮锦被面等，大受各界人士青睐，其中龙凤壮锦被面获甲等奖。

忻城壮锦(亦称土锦)风格独特,其图案从题材、造型、结构、色彩,都充分反映出壮族人民的勤劳、智慧,和爽朗纯朴的品格。描绘的对象多以壮族人民熟悉的风物及理想的祥瑞之物,有:喜狮滚球、双龙戏珠、凤穿牡丹、蝴蝶朝花、鲤鱼跳龙门等。

壮锦可作床毯、被面、背带芯、提袋、头巾、围裙、壁挂、窗帘、台布、坐垫、烟袋、衣边装饰等。忻城壮族姑娘出嫁嫁奁, 土锦被面决不可少。

忻城壮族家庭手工纺织业发达, 百分之八十的壮民家有木制织布机、纺纱机、榨棉机(个别家有弹棉机)等纺织工具。每逢农闲,家家户户纺纱织锦。清末民初,宁江乡范团街有人家五十多户,其中三十五户织土布,十二户织土锦。清嘉庆年间,忻城举人莫欺有一首《竹枝词》对此作了形象反映:“十月山城灯火明, 家家织锦到三更;邻鸡乍唱停梭后,还听砧声杂臼声。”

侗乡鼓楼美

侗族·周东培

民谚:“金鸡翅膀孔雀尾, 不比侗乡鼓楼美。”一进侗乡,最先映入眼帘的就是那宏伟、壮观的鼓楼。鼓楼耸立于寨中,周围簇拥着排排青瓦木楼，就像蓬蓬荷叶把一朵荷花高高托起。

鼓楼精湛的建筑艺术，为世人所惊叹：整座楼身结构不用一钉一铆，全是杉木凿榫衔接；大小条木，横穿直套，纵横交错，上下吻合，浑然一体。楼分上下两个部分，下半部像亭阁，上半部像宝塔。用八根柱子竖起，内柱外柱各四根。内柱是主柱，用合抱的大杉木直顶楼梁；外柱是副柱，坐落在同一方位，用以支撑层层亭檐。上半部重檐斗拱，一般是六角形或八角形的。檐的层数为单数，一般为五、七、九层，多至十一层。楼下身是正方形厅堂，约三四丈见方，厅侧架一牛皮大鼓，厅中间石砌一个大火塘，四壁镶板和栏干，设长凳，可容一二百人集会。楼高十至十五米。楼檐雕龙绘凤，画花饰锦，檐角高高翘起，形态若飞。楼顶尖塑饰宝葫芦或千年鹤，象征吉祥的造型。鼓楼集宝塔之壮观和亭阁之清雅于一身，从而形成了它的独特风格。

鼓楼文化源远流长。鼓楼在侗家生活中，有十分重要的地位。它是侗寨的政治中心。当侗乡还处于“款乡制度”时，鼓楼就是制定和执行“乡规款约”的活动场所。谁做坏事、违反乡规款约，寨佬就击鼓聚众，或批评，或惩罚，都在鼓楼秉公实施。如有外敌侵犯，则鼓声一响，众人集聚鼓楼，出师抗敌。

鼓楼又是侗家的文化中心，一切重大文娱活动都在鼓楼或鼓楼坪上进行。春节期间，人们都聚在鼓楼牵手围堂唱“耶歌”，赞美鼓楼绚丽多姿，祈求风调雨顺，人寿年丰。冬月，练歌季节到了，老者在此教歌，少者在此学歌，壮者在此练歌，为开春外出“月也”(以寨为单位外出游青作客)作准备。在吹芦笙的时节里，客寨笙队进寨了，鼓楼坪就是年轻人赛笙对歌的场所。主寨姑娘高挑油灯联袂而出，她们迎客寨笙队，也在相意中人，这里又是撒播爱情种子的乐园福地。当外寨客人落寨“月也”，鼓楼又是欢宴宾客的地方，摆下长长的餐桌，携来百家饭菜，盛情款待客人。酒歌此起彼落，成为促进团结、增强友谊的宴会厅。

侗家对鼓楼有着特殊的情感。修建鼓楼异常热心，捐木捐钱惟力是尽，捐工不计时日。鼓楼建成后，全寨供奉一热心人看护。夏天有凉水解渴，冬天有柴火取暖，鼓楼就成为大伙的家。

花竹帽

过　伟

妈妈送的床单棉被哟，
我紧紧地锁在箱子底；
哥哥送的花竹帽儿哟，
我晴雨戴着不分离。
别人送我千金万银哟，
我一万个瞧不起；

看到花竹帽儿就望到哥哥哟，
花竹帽儿伴我进入甜梦里。

这是一首毛南族姑娘唱花竹帽的“深情歌”。

花竹帽，毛南语称为“顶卡花”，意即“帽底编花”，是毛南族的手工艺品，用毛南山乡所产金竹与墨竹的篾条，编成表里两层，复合而成，直径50到60厘米。其中里层由12片主篾组成，每片两端均分成15片分篾，共360片，加上20至30片横栅交叉编织，边沿用金篾与墨篾织成锦缎似的多层繁花；表层由15片主篾组成，每片两端均分成24片分篾，共720片，加上60至80片横栅交叉编织。这样精工编织的花竹帽，成为毛南族姑娘珍爱的装饰品。

在毛南山乡，花竹帽象征着幸福，成为毛南人民追求、向往幸福生活的象征。它在妇女的社交生活中，显得十分重要。赶圩、走亲访友，不能少了花竹帽。青年男女对歌定情，小伙子们往往把花竹帽送姑娘，以表达情思。新娘出嫁，更讲究要有一顶精美的花竹帽。正如有一首婚礼《叮嘱歌》唱道：“哪个姑娘要出嫁，买花竹帽最要紧，被帐鞋盆在其次，先看花帽精不精？新娘少顶花竹帽，伴娘也觉丑三分；满身绫罗缺这个，莫想跨进婆家门！”

毛南姑娘珍爱花竹帽，不仅赞赏它的帽面、帽底和密密的同心圆；更珍爱赠帽小伙子的精心编织及对情人永念的心灵。

布努瑶的弩弓和射弩

布努瑶族·蓝正祥

广西巴马布努瑶的各村寨，几乎家家户户都有弩弓。布努瑶胞所用的弩弓可分大中小三种，皆为自制。弩臂和弩弓选用当地产的青钢木或密西木，质地坚硬无比；弩弦采用韧性极佳的上麻皮编织；箭条为老简竹所制。射程近者可及30多米，远者则逾50米。

布努瑶胞所居之地，山高林密，人烟稀少，猛兽肆虐，故弩弓多用于狩猎和自卫。为练就过硬箭术，布弩瑶小伙子昼以黄豆、玉米粒或铜钱孔为目，夜射油灯之焰，其中不乏百步穿杨者。在当地，不会射弩者算不上男子汉，箭术高明的弩手不但受到大家的敬重和爱戴，而且特别受到姑娘们的青睐。

逢年过节或村寨里有新居落成，男婚女嫁等喜事，瑶胞们即举行射弩赛事。比箭以在一定距离内命中箭靶最多者为胜。小伙子们是绝不肯轻易放过此一大显身手的好机会的。是时，男女老少倾寨而出，把赛场围得水泄不通。弩手们策马拉弓，轮番放矢。围观者击鼓呐喊，蔚为壮观。身穿盛装的姑娘，秋波顾盼，意欲从弩手中选择自己的意中人。箭法高明的小伙子一旦被

相中，姑娘就会把绣有鸡眼鸟目的头巾或脚绑献给他，作为建立爱情的信物。

仡佬族的“八月节”

丁　宛

仡佬族古称“僚人”，史书上有记载，称之“仡僚”。广西的仡佬族于清雍正年间从贵州迁来，多数聚居于隆林各族自治县境内。

八月节是仡佬族最隆重的传统节日，从农历八月十五至二十日连续举行六天。

节庆开始这天，寨中族人全都穿戴最漂亮的民族服饰，然后聚集在草坪上，由寨里一位德高望重的长者，带领大家举行祭祖仪式，祈求五谷丰登、消灾驱邪。人们分别用月琴、三弦、二胡、箫、笛、唢呐、锣鼓、钹等八种乐器，合奏八仙乐。还向空中放粉枪、燃鞭炮借以助兴。接着，便进行杀牛祭祖活动。将好几头披红戴绿的黄牛，交由几位彪悍力壮的人当场宰杀。接着把牛心割下来，切成一片片，分给寨中的每一户人家。牛肉除一部分留作聚餐外，余下任大家分割。

这时，长者捧着三牲等祭品，领着全族人来到菩提树下举行隆重的祭祀活动，长者口中念念有词，多半是歌颂祖先功德的话，念完后人们一次又一次的合奏起欢乐的八仙乐。全寨老少聚在一起喝酒聚餐。八月十五晚上月明正圆，往往欢乐到深夜。喝得醉熏熏的老年人先行退席。许多青年男女兴犹未尽，他们在月光照耀的地坪上，继续弹唱，又跳又舞，不分彼此。更有一些情投意合的恋人悄悄离开了大家，去到林间、田埂或山坡上对唱山歌，别有一番情趣。

第二天，各家各户由老人带领着，把带回来的祭品——珍贵的牛心和牛肉等，毕恭毕敬地供奉自己的祖先，以表示与全族人齐心协力、团结一致。全寨都沉浸在节日的气氛里，各家各户几乎天天举行家宴，菜肴十分丰富，有自己腌制的腊肉和又香又辣的辣椒骨，还喝自己酿制的玉米甜酒。

大家串街走巷，走亲戚，到处是喜气洋洋的人群，直至节日结束。

水族的"端节"

陈左眉

广西境内的水族有一万三千人，大多分布在南丹、河池、宜山、融水苗族自治县等地。

水族有自己的语言，古时曾有简单的象形文字，称为"水书"，传为巫师作占卜用。水族还有自己的历法，称为"水历"。水族最隆重最具特色的节日是"端节"。"端节"始于每年水历十二月(夏历八月)下旬至次年二月上旬,每十二天为一个"端节"。

为了迎接"端节"的到来,各家各户都要在一个多月前准备节日祭品。过节的前夕,人们使劲地敲打着铜锣,以示佳节来临。

节日这天,人人都穿戴上最好最艳丽的民族服饰。首先煮好两大锅糯米饭和新米饭,水族过"端节"祭祖时除了三牲外,还有个很大的特点,就是要有鱼作为祭品。水族向来就有在水田禾苗间养鱼的习惯,每当"端节"到来时,正是鱼肥的季节,人们到田里可轻而易举地捞到新鲜活蹦的肥鱼,把它煮成鲜美可口的鲜鱼汤。全家聚在一起祭祀祖先,祭祀完毕,静候在家中,等待着客人的到来。

水族人民热情好客,"端节"期间,只要有人在门口叫一声,主人就会出来邀请客人一同进餐。据说不少邻近村寨有人来"讨端",为的是图个吉利;这时候,主人一定会留住"讨端"的人共餐。而且一定要喝那味鲜可口的鱼汤,喝自家酿制的米酒,直到把客人灌醉才罢休。这样做是为了与客人一起分享节日的快乐,意味着大家在来年吉祥如意,象征年年有余,六畜兴旺。年轻人则成群结队到端坡上,跳铜鼓舞,他们一边敲打铜鼓,一边吹奏芦笙,踏着轻柔的步子边吹边扭摆起来。此时,扬鞭驰骋的赛马会,把节日的欢乐推到了最高潮。

毛南族的“放鸟飞”

过 伟

春节是毛南族与汉族共度的节日。但毛南族在春节中有本族独特的风俗，如“放鸟飞”。

春节将临，族人将采集来的菖蒲叶，精心编织百鸟。编成的鹧鸪、燕子、鸬鹚、山鸡等都是玲珑绝妙，栩栩如生的艺术品。

除夕清早，各家主妇给百鸟的空腹灌上香糯，有的还拌上饭豆，或加上芝麻馅。煮熟后，分给家里每个小孩一只。于是，孩子们在相互追逐嬉戏中，比较谁的妈妈做的鸟儿美。初生小孩的年轻母亲，这天专程回娘家为小孩领鸟，期望孩子们像百鸟一样伶俐。主妇们用一根甘蔗和麻绳把百鸟提耳穿起来，间隔均匀地摆开。掌灯时分，把串着百鸟的甘蔗横挂在堂屋正中的香火堂前，让百鸟面向大门尾朝壁，这叫“槽鸟”。祈祝百鸟不叮种子，啄食害虫，保护作物丰收。

“槽鸟”，可说是毛南族民间艺术品的节日展览与竞赛。谁家的鸟儿精巧欲飞，谁家的鸟儿繁多竞啼，谁家的果蔗艳红紫酱，谁家的糖蔗青绿藤黄。百鸟群栖其下，争鸣斗姿，逗引人们心中涌起幸福的涟漪。

这种点缀生活的独特民间美展，从除夕一

直到元宵节，砍断甜甘蔗，再煮百鸟群。晚餐用百鸟当饭，果蔗、糖蔗汁解腻，这就是韵味无穷的“放鸟飞”。

侗族的“月也”

陈家柳

侗族人民热情好客，善于交际。逢年过节，都举行一种称为“月也”的集体社交活动。在侗语里，“月也”即游乡作客的意思。

“月也”活动，一般以村寨为单位，互相来往作客。参加“月也”的客人，无论生人熟人，均受到热情接待。甲寨一行数十人或数百人，盛装列队，由村寨头人带领芦笙队、戏班子，并带上各种礼物，浩浩荡荡地前往事先约好的乙寨。一路上吹奏芦笙，燃放鞭炮，以示隆重。乙寨也集众于鼓楼坪前，鸣炮吹笙，热烈欢迎来访的客人。

主寨在这一天设宴招待客人。宴席上双方唱祝酒歌，互相劝酒，热闹非凡。是夜举行盛大的游乐活动，有芦笙比赛、演出侗戏、跳民族舞蹈等。年轻人则趁着这大好时光，对唱情歌，寻找对象。活动到高潮时，宾主双方共同表演一些有比赛性质的节目。先跳芦笙《踩堂舞》，接着，各派一名口齿伶俐的年轻人背诵“款词”。内容有“开天辟地”、“芦笙来源”、“村寨款约”等。然后,主客互相唱山歌称赞对方。主寨称赞客人技艺超群,客队则感谢主人热情周到。"月也"接近尾声，宾主携手一同跳侗族民间舞蹈——"多耶",歌颂团结和友谊。接着互相交换礼物,约定主寨明年回访时间,最后一起吹笙鸣炮,依依惜别。

按照礼仪,"月也"的队伍不管路过大寨小村,芦笙队都要吹奏《过路曲》,表示路过贵地,不劳招待。到达预定村寨，先在寨外吹《应邀曲》,主寨的芦笙队亦即吹起《迎客曲》。假如主寨还没有准备好,则先吹《道歉曲》,请客人稍候。客队离村时,要吹《告辞曲》,主寨则吹《送客曲》。整个"月也"活动,始终洋溢热情友好的气氛。

壮族的"板鞋舞"

慕仕凡

1990年国庆节上午，中南海怀仁堂的大草坪上，中央领导兴致勃勃地观看南丹壮族舞蹈"板鞋舞"。

新颖独特的表演及诙谐的情趣，引得领导们开怀大笑，掌声和笑声响成一片。亚运会期间,"板鞋舞"在北京参加了十四场演出,受到京都群众的热烈欢迎。

“板鞋舞”是生长于壮族民间艺术沃土上的一朵瑰丽奇葩。具有鲜明的民族特色，表现力丰富，它借助道具敲打和音乐伴奏，跳出协调一致的优美舞姿。一般由九位壮族男女青年三人一组，穿着六只近两米长的板鞋，踏着优美的旋律在走动，险象环生，饶有风趣，随着乐曲转换，姑娘小伙们还能穿着长板鞋，欢快地跳起现代三步舞。

“板鞋舞”起源于明朝那地土司的木枷练兵法。明朝嘉靖年间，倭寇侵犯江浙沿海，明王朝要广西出兵，广西要那地土州出三百兵士灭倭寇。土司罗武杰立即征招三百人进行训练，新兵初次操练，步伐很难一致，土司下令用木枷将新兵的双脚夹住，三人连成一伍，九人排成方队，统一步伐，只能向前，不准后退。经过严格训练后，这支队伍战法独特，勇猛顽强，为平倭寇立下了功劳。从此，三人木枷练兵法遂流行民间，演变成“三人穿板鞋”比赛。三人穿板鞋这项体育比赛项目，经过艺术加工，发展成为“板鞋舞”。

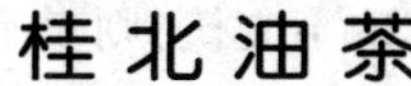

桂北油茶

杨昌智　萧铭新

桂林没有喝油茶的习惯，但环绕桂林四周的桂北各县少数民族都盛行“打”油茶。油茶不说煮而称“打”，是各地的统一称法，而各地的油茶，却又各有其不同的风味。

油茶的统一制作方法，是以老叶红茶为主料，味浓而涩，用油炒至微焦而香，放入砂锅加水煮沸，多数加生姜同煮，则涩而带辣。恭城一带又再加磨碎的花生粉，其味则醇厚少涩，加以煮的时间恰到好处，所以恭城油茶被推为各地之冠，不仅享誉桂北，据说还曾被乾隆皇帝誉之为“爽神汤”。

喝油茶必须配以各种佐食的小吃，都是各种油炸和炒香的食品。苗、瑶、侗家少数民族地区较为简单，多半是炒黄豆、炒花生米、炒爆玉米、炸花生米，再则就是糯米饭团或糯米粉糍粑。恭城平乐一带县城则较为考究，酥炸小吃往往在十种以上，请客人喝油茶摆满一桌子的小吃，看起来就像请客吃饭。

侗族以油茶敬客是一种礼节，主人双手捧茶敬客还说些谦恭的话。善歌者且以歌代言，客人必须喝完两碗，才算给主人面子，且取好事成双之意。两碗之后不想再喝，便将碗筷一并交给主人，如果只交碗不交筷，则表示还想继续喝，主人就高高兴兴地再给斟满送到手里。瑶族则在第一二碗送来时不送筷子，将米花炒豆之类的小吃加入碗里。喝完碗里的茶还留些小吃在碗底，以示有余不尽，第三碗才送上筷子。所以客人必须喝三碗以上，只喝一两碗，主人会不高兴的。这些规矩只行之于少数民族山区。

喝油茶不分季节，一年四季早晚都喝。客人到来则不分早晚，随时煮好奉客，而且更为丰盛。

粑粑果

阳 映

粑粑果是苗家油茶中最具独特风味的茶泡(茶点)。

制作粑粑果，先将香糯浸泡三天三夜，然后，分一半染匀花红粉，再分别蒸熟白糯米和红粑米。蒸熟的糯饭由壮汉分别打成白糯粑和红糯粑。两种糯粑分别装在铁鼎锅里加盖靠近火炉塘保温。打糯粑的时候，主家邀请一群妇女到家里来拈粑粑果。心灵手巧的妇女们将糯粑撕成玉米粒大小，一粒粒拈在事先扎挂好的糯米禾杆上。拈粑粑果的时候，她们不时伸出食指头到装有鸡蛋黄粉的酒杯里沾蛋黄粉，在拇指头上揉搓几下，以免糯粑胶手。

粑粑果每挂有糯禾蕊数十根，根根禾杆都要拈上七八十粒，甚至上百粒，禾蕊上的粑粑果红白相间，每串对得整整齐齐，粒粒一样大。远看像一串串珍珠玛瑙，极其别致，惹人喜欢。晾干后，到用时，打茶娘才将粑粑果一粒粒捋脱，用香油酥炸，粑粑果在烧红的香油中，立刻膨胀。

吃粑粑果茶，一泡茶水就要马上吃，十分香软松脆，泡久了就不松脆了。

侗不离酸

周东培

侗乡民谚:“住不离山，走不离盘 (指盘山路),穿不离带,食不离酸。”侗家酷爱酸制食品,平日餐餐不离酸,敬神祭祖不离酸,红白喜宴不离酸,待客不离酸,送礼不离酸,已成为由来已久的风习。

侗家的酸,制作方法异常,醇香可口,种类繁多。大致可分煮酸、腌酸、拌酸三大类,而以腌酸最富特色。腌酸又分素酸、荤酸两大种。素酸几乎包括日常食用的各种菜蔬,如芥菜、萝卜、黄瓜、豆角、辣椒、藠头、芋苗、刀豆、葱头、各种菜梗、姜、蒜、蕨、笋等;荤酸主要是草鱼、鲤鱼、虾子、鸭、鹅、猪肉。素酸用坛腌制,方法简单,只须将腌品晾干搓盐,拌上糯米粥、饭,置于酸坛中,放好坛沿水,加盖,隔绝空气,十天半月即可腌熟食用。荤酸有用坛腌的,也有用桶腌的。坛腌的与腌素菜方法相似,只把腌品稍加烤干,个把月即可食用。桶腌则较为复杂。如腌草鱼,将鱼去内脏,整个搓盐,沤两三天,盐溶化后,用糙糯米饭或糯米甜糟(有些地方还加姜末辣椒),细细搓抹,无隙不到,然后放置木桶内铺平,空隙处填上糟饭,层层叠满,面上用一布袋盛饭糟压

顶,再铺上竹叶或笋壳,扣上桶盖。桶盖比桶口略小。盖面加百十斤卵石重压,把腌品压下桶底,盐水浮面与空气隔绝。这样的酸草鱼,质地结实,肉色红润,醇香无比,是侗家珍品,并且保醇期可达二十多年,碰上大喜宴才能尝到。

侗家重视腌事:三月芥菜熟,是腌青季节;八月田鱼肥,是腌鱼季节;年节杀大猪,是腌肉季节;夏收宰鸭群,是腌鸭季节。平常有什么就腌什么。一家有婆有媳,腌事都让婆婆主持。这不仅因老者有经验,而且还含有尊重长辈之意。

侗家之所以酷爱酸制品,是因为吃糯米饭要酸解胃;再者过去侗乡商品经济不发达,买卖不方便,客人进屋,好客的侗家,只需掏坛就荤素满桌,而且体面。久之成习,并溶汇于各种礼俗中。如接新妇进屋,头餐饭必备鸭酸、鱼酸、猪肉酸作菜,谓之“三牲酸礼”;老者过世,灵前供尾酸草鱼,谓之“陪头酸奠”;建木楼上梁时要备酸鱼敬姜太公;红白事送亲友的礼品中,有尾酸鱼或有只酸鸭就很体面。坡会节,姑娘献给情郎的糯米饭包中,酸鱼块越大,越显示娘家的殷实富有。

巴马壮家的多彩蛋

杨 宏

广西巴马瑶族自治县甲篆乡一带是壮族同胞聚居的地方。每年的农历三月三前后,此地盛行染制多彩蛋。彩蛋的用场颇多,且饶有风趣。

新娘的见面礼

这里的壮族妇女至今仍保留着婚后不落夫家住娘家的习俗。只有到了农忙时节,新娘才到夫家帮忙农事。此地对到夫家帮活的新娘有一条相约俗成的规定,就是必须带上染红着绿的多彩蛋。

作为见面礼的多彩蛋颇多讲究:彩蛋必须用新鲜的鸡蛋或鸭蛋染制;煮蛋时要看好火候,以刚熟为度;熟蛋要染成红绿两色;盛蛋的网兜必须用彩绒精心编织,以显示新娘心灵手巧。

多彩蛋是带给小孩的礼物,除分给夫家叔伯兄弟的孩子外,还得分送本村屯亲戚家和邻居家的每个小孩,以表示新娘对孩子们一视同仁的爱心,并无厚此薄彼。而得到彩蛋的孩子,都必须向新娘问好并表示祝福。

待到新娘生育之后,就无需再给孩子们发彩蛋了。因为按照这里的习俗,新娘生儿育女之后，就不能再住娘家而必须在夫家长住下去。

儿童碰蛋逗乐

三月三歌节是壮胞的一大盛事。是日，这里家家户户除了蒸煮糯米饭之外，都给自家的孩子染制数个多彩蛋。每个彩蛋都用彩绒编成的小网兜紧挂在小孩的胸前。孩子们相邀嬉逐，以手中的彩蛋相碰，蛋壳不破者为胜，反之为败。碰破了壳的彩蛋共同分享。

男女碰蛋结情

三月三歌节也是此地壮族青年男女对歌择偶的大好时光。这一天，青年们带着彩蛋，或在静谧的村间泉边；或于月朗星稀的夜晚，男女间通过对歌倾吐心曲，表达爱慕。有情的双方，只有经过以各自所带的多彩蛋相碰之后，始算结情。

碰蛋结情的习俗，古已有之，一直沿袭至今。

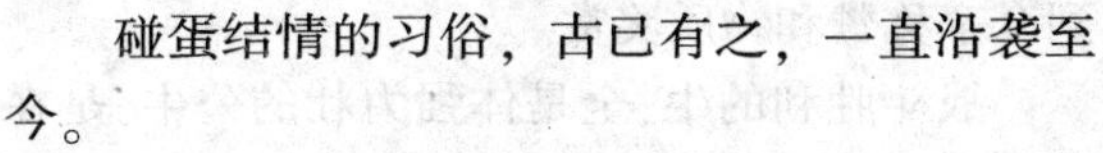

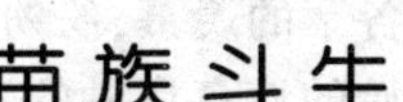

西班牙的斗牛风俗，是举世闻名的。西班牙斗牛是人和牛斗，可是苗族的斗牛则不同，是牛

跟牛斗，也许这样比较公平合理。

苗族的斗牛习俗由来已久，先是两个寨子相约，定期举行斗牛，一般选择盛大的民族节日。赛前，双方各自挑选最雄壮的公牛，交给本寨经验丰富的饲养能手，精心护理和训练。

斗牛的日子到来时，附近各村寨的男女老幼，都穿上最漂亮的服装到场观战。比赛开始，牵牛到场，这时牛的眼睛都以树叶遮盖。待二牛接近时，突然取去树叶，二牛骤然相遇，怒不可遏，于是交角决斗。观战的群众呐喊助威，声震山谷。

二牛经过角斗冲撞，猛烈攻击，有的牛当场被角严重撬伤，眼、肚流血不止，战败而逃；有的两败俱伤，无力再斗，自动停斗。如果分出胜负，获胜的寨子，兴高采烈，以红绸披挂牛身上，用纹银饰牛角，鸣放鞭炮，吹奏乐器，拥牛回寨，大摆庆功酒宴。牛则喂以精料饱食。护理的人也得到全寨称赞和物质奖赏。

战斗胜利的牛，全是体强力壮的公牛，是在几百头牛中挑选出来的。在战场搏斗中获胜，受到全寨和附近各寨的羡慕，纷纷要求牵去配种。这是一种最原始的培育良种的方式，也包涵了积极的生物学选种意义。

抹 黑 脸

李树荣　王文魁

彝人崇尚黑色，认为黑色能驱邪保身，象征吉祥如意。抹黑脸是彝族群众喜爱的传统娱乐活动，一般在农历正月间举行。

关于抹黑脸的由来颇多。其中有一说是从前有一猎人与猛虎搏斗，经数昼夜仍不能胜。于是用锅底墨烟把脸抹黑，始将老虎吓跑。此后，人们在上山之前，都学着猎人的样子把脸抹黑。后来抹黑脸便由消灾保身的本意发展为试探人品、逗趣取乐、男女社交、新年祝福等意义。

在抹黑脸的活动过程中，被抹者不但不会反感，倒认为由此得到了别人的欢喜和尊敬，因而感到满足。抹黑脸有严格的规矩，同一家族或者不同辈份的都不能互抹，否则会被看成不知礼节。同性的一般也不相抹。除此以外，只要在场的，“人人平等”，都有被抹的“危险”和抹别人的权利。

苗家“三饭”

苗族·杨光富

好客的隆林苗家，有很多有趣的待客礼节，“三饭”就是其中的一种。

一是“试饭”。苗家对远方来的陌生客人或其他兄弟民族客人，都待他们为贵客，往往要对这些客人进行“试饭”。“试饭”就是当着客人的面，用洗过脸的水来和玉米面，煮菜，对客人进行试探性的考察。其实，这些都是拿去喂家禽的，不是待客的。假若你因此认为主人不卫生而悄悄溜走了，主人就会认为你嫌弃他，第二次要登门去找饭吃可就难了。如果客人经得住考验，不溜走，主人就会把你当成知心朋友，不分彼此。建国初期，进入苗山工作的很多同志，如今对苗家的“试饭”还记忆犹新，倍感亲切。

二是“添饭”。老辈的客人或者自家的老人用饭的时候，当儿女或媳妇的不能只顾自己埋头吃饭，而是得随时准备给老人添饭，当老人碗里的饭快要吃完时，就得守立在老人们的身边。添饭时要放下自己的碗筷，而且要用右手，从右往左的方向去添，绝对不能相反，态度要恭敬，声音要柔和。“添饭”是苗家人尊敬老人的美德的体现。

“压饭”是“三饭”中最有趣的了。这是未婚青年们用来考察对象的手脚是否灵活，头脑是否机灵，心灵是否美好的一种方法。因此，“压饭”一般只在未婚青年或者可以开玩笑的客人当中进行，不过，对客人的用意只是显示一下主人的本事。

“压饭”常常是两个姑娘对付一个小伙子。客人刚上桌吃饭时，压饭的姑娘都躲了起来，待到客人吃得差不多时，压饭的姑娘们一起涌出，每个客人身后站两个，像卫士一般。她们要使客人碗中的饭堆得像小土丘那样。压饭不准饭粒撒落，不准失手，如果客人是个机灵的人，能躲过一次压来的饭，造成姑娘失手，那姑娘就得认输，不再给客人压饭。如果客人手快，在姑娘的饭勺飞来时，自己不但控制住碗里的饭不撒，而且能及时抓住姑娘的手腕，那么，压饭的姑娘就得受罚，要坐下来分吃客人碗中的饭。如果客人自始至终都无法制服压饭的姑娘，最后就得由姑娘们洗手喂“鸭子”，被喂饭的青年要遭到嘲笑。一般地说，这个客人被认为是“笨人”。但是，心眼实的姑娘往往被他的憨厚所感动，他俩也就在这“压饭”的过程中互相理解，结成伴侣。更有的姑娘，为了能找到更多接触她心爱的小伙子的机会，故意将残汤剩饭倒进小伙子的衣袋里，然后，才求小伙子脱下衣服让她洗，他们也就在这个过程中加深了解，结成夫妻。

彝族妇女的腰环

彝族·王光荣

居住在广西、云南交界地的彝族妇女，在装束上，除了特制的衣服、裤子、胸围、头帕和脚绑带，不同于其他民族外，还有个显著的特点，即腰间都戴着一副腰环。

彝族腰环，一般用榆树皮做成，椭圆圈形状，外包精心织成的锦带。圈的大小，量体而定。腰环宽约三至四寸。未满十八岁的姑娘和年过花甲的老妪，其腰环略窄些，也不那么讲究式样。彝族妇女，除夜间睡觉，无论搞家务，或是干农活、赶街、走亲戚，腰环都不离身。

彝族腰环的来历，说是在远古时期，彝族妇女勇敢善战。她们不仅能在地上打，水里打，还可任意在空中飞行，随时随地追赶和消灭敌人。在寡不敌众的时刻，也可以展翼脱身，化险为夷。彝族妇女本领高强，是因有铁腰环护身。

后来，彝族妇女就把腰环当作一种护身符，常戴腰间。直至如今，彝族妇女还常常跋山涉水，历尽艰辛，从深山密林里找来榆树皮，制作腰环。每逢年节，彝族妇女腰扎色彩缤纷的腰环，显得更婀娜多姿，英气飒爽。

舞草龙

陈光宗

张灯结彩,舞狮舞龙,为庆贺节日盛典增添欢乐,以示祥瑞,这是中国古老的传统。但是广西各地过去有舞草龙的习俗,则纯属迷信的地方风俗。一般在两种情况下,当地就有人出来倡议舞草龙,一是流行病引起大量的死亡,无法遏止,称之为发“人瘟”,认为是凶邪作祟,于是以舞草龙驱凶辟邪;另一种情况则是久旱不雨,也就以舞草龙驱走旱魃,招致霖雨,而且不但舞草龙,连城隍也要抬出来满城游行。

早年,我常听说桂北各县旱情严重就舞草龙。1927年龙州霍乱流行,据说也舞过草龙。我亲身经历的,则是1932年夏天,桂林霍乱流行,导致很多人死亡,于是由商会出面领头,筹集经费,在全城大舞草龙。

草龙以稻草编扎,不施彩绘,龙身以黑布连接,遍体插着点燃的香。舞龙人都是街上雇来的乞丐,赤膊短裤,脚穿草鞋,遍体涂墨烟,面孔也涂得漆黑,阴森可怕;第一天草龙先到城门外仰山庙敬香,名为“请水”,然后出游。随行锣鼓队携带大量爆竹,沿途燃放,所过之处硝烟弥漫,锣鼓声低沉暗哑,气氛极为恐怖。草龙经过,所

有人家都紧闭大门，惟恐草龙把凶邪赶进家里，爱看热闹的小孩也只能从门缝窥视。如此连续三天，草龙游行遍及大街小巷和附近郊区。最后一天仍到仰山庙敬香祭神，然后将草龙焚毁。

1932年是桂林最后一次舞草龙。抗战以后，其他地方没听说还保存这一迷信风俗。

舞“青龙”度中秋

龙兴智

广西浦北县绝大多数群众习惯赏月度中秋，惟有乐民圩群众习惯舞“青龙”过中秋。

“青龙”由群众自动合伙制作。龙头用竹篾、红纸、彩布扎制，龙身用麻绳、鲜芭蕉叶捆扎而成。每条“青龙”长达三四十米，每年都制作三四条。

入夜，龙角插上点燃的巨烛，龙身插满燃着的小烛、香火等，一二百男女老幼，随着笛鼓的节拍，大家用手高高擎着“青龙”，沿街舞动前进，光彩照人，“青龙”游到街民门前，家家户户都燃放鞭炮。舞游完几条街巷，送“青龙”于郊外，接着，群众蜂拥而上，个个争先恐后去抢拔“龙筋”(麻绳制作)，高高兴兴地拿回家去置在牛、猪、鸡栏处，谓之“辟邪”。送“青龙”后，群众又各拿着餐具集中煮吃“龙粥”(用猪肉煮成的粥),以示"人寿年丰,六畜兴旺"。

乐民圩舞"青龙"过中秋节,起源于明末清初。沿袭至今已有三百多年历史。

"龙 标"

黎 斌

1949年以前,广西苍梧端午龙舟竞渡颇具特色。按地方习俗,胜者必取龙标、擎锦旗、抬烧全猪,吹吹打打地游街。负者也须取龙标,带着猪头等,铩羽而归。一般以一至四名为重奖。

龙标,是一支细长的旗,旗上题诗句,不写名次,由主持人按龙标所题诗句发奖。题诗类似谜面,包含十二个名次。如:

一

霸王失土走乌江,(第一名)
柳氏夫人去觅郎。(第二名)
秦失人禾家国破,(第三名)
罗通维去复兴唐。(第四名)

二

吾口已无实难陈,(第五名)
滚涛衣水去惊人。(第六名)
花开草落无人赏,(第七名)
无手扒龙疑是神。(第八名)

三

蓝天旭日去无还,(第九名)

汗去水流一不返。(第十名)

一失王冠离土裂,(第十一名)

护标八小去西山。(第十二名)

龙标不写名次,让观众自己猜想名次,颇具深意。

疍家的衣食住

黄家蕃

北海疍家的衣食住风俗特点,亦与陆居有明显区别。

衣着方面,上衣多短身窄袖,男裤偏短,女裤多宽。是为适应亚热带气温和船上操作之故。史书说“疍民衣不盖肤”是有所指的。疍家妇女头包更为特别,多用红黄两色间格布夹层浆硬,正方斜角突出额上,状似猪嘴巴,故疍家人称头包为“猪嘴”。发髻多簪珥饰物,光耀夺目。此种装扮,至今仅见于广东珠海渔民了。

疍家住处“两栖”。有全家大小和禽畜一起随船出海以“舟楫为家”的传统,但也有固定于海边“植木构成的棚户”,这是远海归来休整的基地。住棚虽狭小,但每天洗刷,洁净无尘,习惯了终年局促舟中的生活,倒觉安适。

论食, 疍家食谱比陆居丰富得多。海鲜海珍,"皇帝也让我们先吃", 这是疍家人的豪语。特别的食法是,鲜鱼鲜虾入酒曲糯米同腌,称为"糟鱼"、"糟虾",香甘鲜美,这是陆居无法享受到的。

食饭时禁忌甚多:筷子不能搁在碗上,因为这是"搁浅"的兆头。食具不能覆置,因为这意味"翻覆"。生活用语也忌说"翻"、"逆"、"慢"、"沉"以及"含家铲"等字词。爱用稳、顺、快、利和全家福等字词代替。这点,地角渔民也是相同的。

京族婚俗

壮族·韦坚平

京族聚居在广西防城县巫头、山心、沥尾三岛，占全国京族的82%。三岛为冲积岛，岛上覆盖细沙。京族青年初次谈爱，往往用脚尖将细沙踢到对方身上以示喜爱，回踢则为接受。亦可摘树叶掷到对方身上，意同踢沙。至于以歌谈情说爱，已流行数百年。

本世纪初，订婚尚以"对屐"为卜，即男女双方家长同时各从家中随手取一只木屐交给媒人，如正好左右配对，谓婚事天成，否则不敢成婚。后来信者渐少，"对屐"流于虚套。后起的"换庚帖，合八字”乃受汉俗影响，现亦不流行。

男家定下娶亲的日子后，提前两三个月将娶亲日子单及议定的聘金送过女家，谓“过中礼”。此后，女方忙着准备嫁妆。迎娶前一天，男家将彩礼(一般是肉、酒、米各八十斤)送过女家，谓“过大礼”。迎娶前夜，新郎要到女家“认亲”。届时，新郎由女家一位叔伯引导，一一拜认聚于厅堂的女家亲人，并敬上槟榔及茶。认亲须当夜赶回，防城京族地区方圆几十里，一般都能赶回。如与当地汉、壮族通婚，那就不一定行认亲礼，而随汉、壮族流行的婚后三朝回门之俗。新娘出嫁前夜，则与姐妹好友唱歌话别，唱到伤感处泣不成声，谓之“哭嫁”。

迎娶之日，新郎并不亲往女家迎亲，由新郎的两个姐妹及男女歌手各四人前往迎接。新娘亲族中人设三关拦路唱歌，第一关设于村口，第二关设于村内，第三关设于家门。迎亲歌手须唱赢把关歌手方可通过，过关时还散发些“利市钱”。出嫁时，新娘身着红衣黑裤，伴娘给打伞遮阳。送嫁者中一般须有男女歌手各四人，有多至数十人的。送嫁歌手和迎亲歌手一路走一路唱，以歌祝福、赞美、逗趣。至男家，新郎和新娘在厅堂祖宗牌位前四拜祖宗，然后由新郎引新娘逐一拜认聚于厅堂的亲族长辈，接着送新娘入洞房。双方歌手则在厅堂唱歌贺喜，通宵达旦。新娘这天不吃夫家食物，于入夜时由娘家姐妹二或四人送来粥食，在洞房喂新娘并陪之过夜。晨起，新娘为家人备好热洗脸水，并送每人一条新洗脸毛巾，家中长辈接受毛巾时回赠红封包(封钱币)。婚嫁礼仪至此完成。

以上传统婚俗，20世纪50年代前尚为人恪守，今多废矣。

仫佬族“女不落夫家”

仫佬族·龙殿宝

仫佬族有女子婚后不落夫家的习俗。在举行婚礼的当天，新娘由姐妹数十人护送到新郎家。洞房里不铺床帐，只摆一张方桌，新娘同十个要好的同伴在这洞房里就餐。这些姐妹通宵达旦地陪伴着新娘。第二天吃完午饭又护送新娘回家。新婚之夜新郎和新娘是不同房的。待到第二年春社这一天，才把新娘接来吃社，与新郎同房。故仫佬族有谚语：“新媳妇吃社——头一回。”但新娘只住一个晚上，第二天清晨即离去。以后逢农忙时节才来帮忙一二天，直到生了孩子才能长住下来。

彝族订婚礼——“喝汤”

彝族·王光荣

“喝汤”是彝家姑娘订婚的一种礼仪。按照彝家的习惯，姑娘长到十七八岁，便有人来求亲。若到十九、二十岁未过门，甚至还未得“喝汤”，父母和亲戚就会焦急地替她张罗婚事。

喝汤，是以汤水为主要标志的小酒宴，男方感到亲事有八九成把握时，就选定吉日，派几个亲戚带上酒、肉、虾子、豆腐、豆芽到女方家操办二三桌酒席，宴请女方全家及亲友。酒席上菜肴多少不论，但是每桌必有一大钵以豆芽、豆腐、肉丝和虾子为主料的汤水。举杯动筷前，女方家人及亲友先用汤匙轮流品尝一两口汤水，如果大家发出赞叹声，就算对这桩婚事表示满意允应。汤水主料中的豆芽表示宾主双方根子相连，豆腐表示纯洁无瑕，肉丝和其他佐料表示甜蜜美好，虾子表示成亲后人丁兴旺，子女满堂。

无论是男女自由恋爱，还是父母包办，“喝汤”是彝家青年男女结为夫妻前必不可少的一个礼节。没有这一仪式，不仅女方父母、亲戚不承认他们的结合，姑娘本身也觉得身价低人一等。

苗族“喝崩”

苗族·杨光富

广西隆林各族自治县的苗族有一种古老习俗，就是“喝崩”。

苗族青年男女们到了婚嫁的年龄，经过跳坡、串寨、跳月、游方等活动，选中了称心如意的对象，一些人就会手牵着手，背着父母和同伴来到清澈的泉水边，先由男的捧起一捧水，女的取下头上的银针或竹签，轻轻刺破男的左中指，让血流进手捧着的水中，然后，含情脉脉地连喝三口。接着由女的捧起水，男的刺破她的右中指，也喝上三口。这就是表示生死相依的“喝崩”了。

过去，苗族青年男女的婚姻，一是父母包办，二是自由相爱。当父母想过问一下儿女的婚事时，首先必须盘问他们“喝崩”了没有，假若已经“喝崩”，父母即使有意见，也只能将子女打骂一顿，再也没有干涉的余地了。“喝崩”了的夫妻们，不论是婚前或婚后，如果一方因故或生病去世了，另一方大多以身殉情。

今天，苗族青年中尽管也有人“喝崩”，只是表示他们的爱情像泉水一般纯洁，流水一样久长。他们不再刺手指，更少有人以身殉情了。

白裤瑶的“捶亲”旧俗

慕仕凡

“捶亲”是白裤瑶族独特的迎亲方式。白裤瑶主要聚居在南丹县内。

迎亲那天，新郎不亲自去迎亲，而是委托和自己同龄的好朋友代替自己去迎接新娘，被委托的人称为“替郎”。前去迎亲的一般为四人，三男一女。去时，“替郎”斜肩挂一条四指宽的白布带子，肩上扛一把长砍刀，另外两个男子分别挑三挂猪肉、四只鸡、一坛酒，姑娘带一把伞。

迎亲的一行人来到新娘家，新娘的父母热情接待，交接礼物后，新娘亲自为他们端上糯米饭和酒。接亲的人酒足饭饱后便动身出门，娘家给二男一女相送。

离寨不远，娘家寨子里的一群青年男女早已等候在那里，迎送亲的队伍一到，大家一拥而上，男青年抓住新娘，女青年抓住“替郎”挥拳轻打，新娘和“替郎”奋力脱身，夺路奔走。大家呼喊着紧追不舍，东拦西截，抓住又是一阵捶打。你推我搡，嘻嘻哈哈，欢笑声在山谷间回荡。来到即将分手的路口，这时，娘家寨子里的青年朋友才与迎送亲的人依依不舍，双方“唔唔”呼叫或打着口哨告别。

壮族新郎作客礼俗

滕肇文

广西靖西南坡一带的壮族人民，在结婚时，新郎第一次到亲家作客，需讲究一定的礼俗。

新郎初到亲家，老年人要看他懂不懂礼貌；姑娘们也来争看新郎的人品、相貌，和酒席间的动作，是否符合新郎作客的礼节。当新郎到达亲家入席时，姑娘们都来争看新郎，把酒席围得水泄不通。开席后，老人家叫新郎斟一轮酒，如果从右至左斟，那就是表明这个新郎很懂礼貌。若是由左向右斟，就会被人认为是个蠢才，不懂礼数。吃饭时，姑娘们站在旁边争着为新郎盛饭，都是装得满满的，像个宝塔，看新郎怎样吃。如果新郎既懂事又聪明，就把那宝塔饭摊到另一个空碗去，使饭平了才吃。人们就称赞这个新郎不错，聪明懂礼，很敬慕他。反之，如端起那宝塔饭就吃，姑娘们便哄笑起来，那时新郎便着慌、难过，羞愧无比。据说，有不少新郎，因过不了吃酒作客关，往往把美好的姻缘断送。

北海疍家婚俗

黄家蕃

北海市外沙与侨港镇水上居民的婚丧风俗,都具特色。

过去,疍家闺女出嫁前十天就不许抛头露面了。晚上需例行所谓“哭家姐”,或母女对“哭”,或姐妹(伴嫁娘)对“哭”。“哭”的内容均为称颂父母恩德和倾诉惜别之情,曼歌软语,哀婉动听,催人泪下。出阁前夕叫“晚饭”,当晚有“拜饭”仪式:棚户神厅前,罗列牲品酒果,香烛齐烧。此时,金珠满头、盛装打扮的女客云集一堂,人手一把折扇,两人一组,轮番拜神,然后围坐一起。钗光鬓影,馨馥氤氲,或讲古说文,或谐语相谑,或歌谣对答,或纸牌戏博。宾客尽情欢愉,深夜未休。

次日,新娘出阁,男家准于择定的吉时良辰派伴郎(不是新郎本人)划小艇前来迎亲。新娘虽盛装,但不能像陆居新娘穿戴凤冠霞帔,只以红锦遮头,拜辞祖宗牌位和父母长辈,由喜娘背着,在众女伴张伞拥簇下登上接亲艇,徐徐离去。接亲艇多少,取决于送亲人数的多寡,艇艘越多则越气派。接亲艇所经之处,轻浆欸乃,喜炮喧闹,引来船上棚户齐观,海港平添喜庆气

氛。

新娘艇到达，仍由喜娘背着新娘离艇入棚，拜堂合卺，设宴款客如仪。“疍家酒席”以海珍品齐全和丰盛为尚，往往使陆上豪门瞠乎其后。当晚的“伴郎”仪式，实际是以男青年为主体的说唱文娱晚会，与女家的“拜饭”有异曲同工之妙。

疍家婚嫁仪式始终贯穿着一个“唱”字，是史书上说疍家“婚时以蛮歌相迎”的遗风。而今只有侨港镇居民还保持此种风俗。

靖西壮族拜山盛况

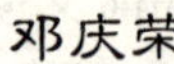

邓庆荣

广西靖西县，是壮族聚居之地，壮人占99%。他们有拜山祭祖的习俗。一般祭品，香烛而外，多以长块烧猪肉、全雄鸡、五色糯饭(香糯为靖西特产，染成五色，意在防止山精邪祟前来争噬)，奠祭坟前，贴以红纸，坟上插一大串纸钱，点燃鞭炮及独响纸炮，意以唤醒九泉客来品尝。

清明那天，鞭炮响如年夜。但很少有哭坟习俗，多遍邀亲友，同在坟前共享祭余。左手握饭团，右手持箸，啖各种菜包，名为青菜包，独具乡土风味。

1949年以前，富裕人家，还抬数头全猪到墓前，大张帐幕宴客；成百筵席，席地而饮。更有趣者，来宾不问与主人相识与否，只要有东道主之友相邀，便受欢迎。

外地以上巳日或清明为祭祖之盛日。靖西则在春分后、谷雨前，三十天内，天天有人上坟，故俗有“三月天天扫墓地，七月处处烧冥衣”之说，但以清明那天最为热闹。那时野花盛开，满岗满野，红男绿女，结伴踏青。妇女喜撷鲜花，交置胸前，载歌载舞，笑语喧哗，愈增妩媚。儿童追逐彩蝶，斗草嬉戏，倍极欢娱。男青年多喜席地拇战，日落方休，其烂醉者则以竹床舁归，逐年多有。

抗日战争时期，陈宝仓烈士时在靖西督战，亦应邀拜山，曾即兴赋诗：“拜山归来日影斜，缤衣花香笑语哗。道上行人频驻问，今年冠盖属谁家?”当时鲜花缤纷，仕女如云，他们徐徐其行，款款笑语，并无行人欲断魂之状。民俗淳厚，可以想见。

融水苗族丧俗

曹仕谦　韦甘睦

广西融水苗族自治县的苗族有此丧俗：有人去世时，如系四十岁以上的男性，则朝天鸣放粉枪数响；如系妇人，则连敲木梆一阵，以告知附近亲友。至于办理丧事，从古至今，均不打斋

念经，也不举行殡奠仪式，只为死者洗身更衣后，摆在堂屋地上，出殡前，凡来吊丧的亲友，皆盘脚坐在死者身旁饮酒。边饮边将酒肉放到死者口中，一面饮酒，一面哭泣，口中喃喃作语，表示死别悲恸之情。

丧家孝男孝女，不戴黑纱，不缠白布，也不执"孝杖"，只在三朝内(即三天之内)禁吃荤菜。出殡不择吉日，不看风水山向，不用油漆棺材。仅先派人到山场挖一阔约二尺、长约六尺的坟坑，将死者尸体置于木架或竹垫上，由两个人抬送出门，另派数人分扛六块棺板同去。到达坟地时，先将一块垫在坑底，次将两块分别安于两侧，另将两短板分别安于两端横头，然后将尸体放入坑内，再盖上一块盖板，即覆土筑坟。

苗族的丧事，酒食甚简，一般只有煮肉片，并无其他杂炒菜肴。进餐时，不备桌椅，各人自取一份酒肉，蹲在地上自饮自食；亦有三数人聚在一起共饮。丧家不设专人收礼，前来吊丧的亲友，皆不送奠仪封包，只带来一两斤白米供丧家使用。

结缡甫一周　义赴红七军

谢和会　宋光诩

魏伯刚烈士(1903—1933),桂林人。原名魏治安,字伯刚,以字行。1919年毕业于广西第一甲种工业学校矿冶科,家贫无力再升学,于1922年春随父魏巍山赴粤谋生。父任职于虎门要塞司令部,遂居穗焉。

伯刚在粤期间,结识不少共产党人,参加革命活动。1924年在广州组织"漓社",成立"旅中之家",出版刊物。不久加入中国共产党,在广东省委领导下,经常往来于穗、邕、梧等地开展工作。1927年底参加"广州起义",失败后,避地上海、徐州，于1929年初赴武汉工作。

1925年白志侪女士负笈至广州，翌年考入广东省立女子师范学校学习。通过“漓社”活动，与魏伯刚结识，谊属桂林同乡，相见甚欢，经数年交游及书信往来，感情日笃。三年后白女士毕业，参加女师组织之教育考察团北上，到武汉会合后，两情缱绻，遂订终身。乃破除一切旧俗，于1929年8月1日宣布结婚。婚仪简单，仅印制粉红色婚卡遍寄诸亲友。

当时正值广西省主席俞作柏宣布反蒋，为适应急遽变化之形势，中共党组织陆续从各地抽调党员干部返回广西，以进一步扩大革命力量。魏连接三封电报，催促速返南宁。便毅然于婚后第五日先送白女士南下到穗，直奔南宁，蜜月期只度过了七天。魏于参加红七军起义后，辗转进入江西苏区，仍时有家书往来。曾于信中预拟子女名号为“菲莉”，以示重义轻利之意。以后音信断绝，直至1950年张云逸大将任广西省主席，携回魏之遗物，始确证已于江西苏区战斗中牺牲。其遗腹女魏菲莉毕业于广西农学院，今亦年逾花甲矣。

李济深沉痛挽李曦

李煜平

1944年10月，日寇侵占岑溪县。县中校长李曦尚未逃离。日军士兵闯入其家，李毫不畏惧，横眉拍案，怒斥侵略者，日军将其反剪捆缚，他仍骂不绝口。日军遂用竹片勒其口，至舌破血流，仍声嘶怒骂。日军恼羞成怒，将其拖至水街小溪河口，悬吊于古榕树上，又施毒打。李虽遍体鳞伤，仍慷慨陈词，斥敌不止。日兵蜂拥而上，用刺刀将其活活刺死，并弃尸于水东街后小溪之中。

李曦慷慨就义的噩耗传至苍梧县，正在料神村开展敌后武装斗争的李济深，感其大义凛然、英勇悲壮，挥笔疾书，写了一副挽联：

课诸生慷慨昂扬，犹忆洪宪改元，曾著义声传梓里；

抗暴敌牺牲激烈，遥继常山骂贼，永留正气壮河山。

阚维雍桂林殉职

唐 梅

1944年8月，日军侵占衡阳后，即以七个师团，约十万人之兵力，沿湘桂线长驱南下，直取桂林。

9月，一三一师(师长阚维雍，辖三九一、三九二、三九三团)奉命从南宁北调桂林，与一八八师(师长海竞强，白崇禧外甥。该师与一三一师同属三十一军，军长贺维珍)及四十六军(军长黎行恕)的一七○师(师长许高阳)和一七五师(师长甘成城，夏威外甥)共同担负坚守桂林城三个月之任务。作战布置以七星岩、中正桥(今解放桥)、老君洞与猴山隘联为一线，线北由三十一军防守，线南归四十六军防守。不料战前一周，忽有令将三十一军的一八八师和四十六军的一七五师他调。这样，原来防守桂林的两个军便编为两个师，即一三一师和一七○师。一七○师亦归三十一军军长贺维珍指挥。

阚维雍到桂后，将师司令部设于东镇路水厂。挖战壕，构筑防御工事，埋地雷，架铁丝网等，无不亲自督导。并勉励将士，勇敢克敌，誓死保卫桂林。10月的某日，他与副军长冯璜(战前他调)视察城防工事时过一棺材店，他说："副军长,你准备要哪一副?我们打内战二十多年,没甚意义,今日抗战防守桂林,死也光荣,决不作方先觉第二,我如先死,你就把这副棺材埋葬我于山水甲天下之桂林城吧!"同月 4 日,阚维雍写信给融县妻子罗咏裳时,亦表现出与桂林城共存亡,视死如归的英雄气概。信云:"此次保卫桂林大会战,不日即可揭幕。此战关系重大,我得率师参加,正感幸运,不成功便成仁,总要与日寇大厮杀一场也。汝带一群儿女避居融县,家无积余,接济更不容易,用度极力节省,任何寒苦亦当忍受。抗战胜利在望,生活总有解决办法也。"

10 月 31 日桂林城已发现敌人。从 11 月 1 日起,敌向我外围阵地日夜进攻,战斗日趋激烈。阚维雍不畏枪林弹雨,坚持指挥战斗,屡挫敌锋。4 日我屏风山、猫儿山等四个据点为敌攻陷,三九三团伤亡殆尽。7 日敌用窒息性毒气和火焰器于七星岩,使退守岩内的三九一团八百余官兵,全部壮烈牺牲。8 日敌机成群,大炮百余,战车几十辆,对我进攻更加猛烈,中正桥至伏波山沿河阵地被毁,敌强渡漓江,与我军巷战。三九二团伤亡过重。在此情况下,阚维雍仍从容指挥。

9 日下午,城防司令韦云淞在铁佛寺内举行紧急军事会议,韦曰:"目前战况危急,城已不可守,决计突围……。"阚维雍慷慨陈词:"本师与敌鏖战逾旬,伤亡殆尽,内缺粮弹、外无援军,如

此困守孤城挨打，是无谓牺牲，而一七〇师尚未与敌激战，元气未伤，请将所部提出外围作运动战，牵制敌人，不使敌长驱直入，或可完成死守三个月之任务。”无奈韦拒不采纳。是晚8时，阚维雍入寝室，举枪自杀。桂林遂于11月10日沦陷。

抗战胜利后，国民政府追晋阚维雍为陆军中将师长，国葬于七星岩霸王坪，墓前建纪念亭，并在东镇路阚宅基地建纪念塔。1946年3月29日，桂林举行广西各界追悼抗日阵亡将士大会，颁发陆军中将师长阚维雍优恤状。

阚维雍墓、亭及纪念塔，“文革”时被毁。1983年经广西人民政府拨款修复，并追认阚为烈士。

五十年前的“北海女壮丁队”

黄家蕃

1938年春，中共北海党组织为了打开工作局面，通过共产党员赵世尧的社会影响，把党员李梓明同志安插到镇公所当副镇长。李到职后，利用镇长黄元炤出面组织成立“社会壮丁训练队”。

社会壮丁训练队的宗旨是配合驻军守土抗战，使党能掌握到一部分民众武装为我所用。

社训队成员由青壮年店员和社会上进步的男女青年组成。强调自愿参加,有严格的组织纪律和受训制度。参加的有百多人,分男、女两个分队。由于步枪子弹较少，训练时多用木枪代替。

女壮丁队有队员约三十人。分队长姓梁,骨干分子能记起名姓的有何醒予、陈英源、蔡秀英、罗永英、罗远芳等人。她们不满意男壮丁的黑色军装。为了标新立异,更主要的是为了切合军事需要,便自行设计女服:除军帽脚绑同男装外,衣为双钮包襟,裤为马裤,一律草青色。队员个个短发,洗尽铅华。出操和游行时,队列整齐,步武豪迈,英姿俊发,精神抖擞。市民无不瞩目称赞，其实人们称赞的不止是她们出类拔萃的军容,而是她们的进步思想和出色的组织能力。

女壮丁队员们绝大多数是“抗敌后援会”或“抗敌同志会”的成员,因此,北海各项救亡活动,女壮丁队员又往往是最活跃的骨干分子。为推销救国公债，她们是出色的推销员。献金运动,她们是献金台上的一枝花。歌咏、话剧,她们中的陈英源是著名女主角,蔡秀英、罗永英是女中音的歌唱家。民众夜校,她们又是积极无私的教师。这是女壮丁队留给人们深刻印象的另一原因。

女壮丁队的活动连续了一个年头，后因钦州沦陷，北海疏散，队员各走各的路而停止活动。

毛南族同胞牛皮子弹退日寇

汪　骏

1944年,日军第二次侵桂。某天,日寇从黔桂铁路东侧的一个叫加必屯的小站出发,沿着山路侵入毛南山乡。他们掳掠菜牛和粮食,奸淫妇女,杀人放火。毛南人民遭受了空前浩劫,但又苦于没有足够的武器弹药对付敌人。于是,大家凑到一块动脑筋,想办法。这时有人提出把牛皮切成小颗粒,用辣椒水浸泡后,放锅里炒干,以此当鸟铳的子弹。大家都很赞成,立即连夜动手。

不久,尝过甜头的日寇再次侵入毛南山乡,早就恭候多时的毛南猎手四处埋伏。待敌人走近了才突然开火,一阵阵牛皮子弹雨点般射击,打得日寇遍体鳞伤,连滚带爬地逃回加必屯。

这下子,可难倒了日本的军医了:牛皮弹进入人体后吸水膨胀,加上辣味灼痛,使伤员们哭爹喊娘。要取出来么,它是三尖八楞的,非把伤口割得很大,而且取出之后,辣味还留在肉中,灼痛难耐。军医束手无策,只能眼瞪瞪地看着伤兵在地上打滚哀嚎。

这一仗打得侵略者胆战心惊,再也不敢进犯毛南山乡了。后来,附近的兄弟民族也用这个办法打击日寇,保卫家乡。

别开生面的“七·七饭店”

士弓

抗战初期,在柳州驾鹤山旁,河南路上段有一家与众不同的“七·七饭店”。

“七·七饭店”的老板、账房、侍者、卖手、饭司务等,都是二十来岁的大学生和高中生,他们来自五湖四海,朝气蓬勃。每天边工作边学习,互帮互教,取长补短。

“七·七饭店”采取合作社经营方式,人人既是老板,又是工人。每月结算一次,从盈利中拿出60%捐助各自的同学——在前线工作的战地服务团团员。

“七·七饭店”的餐厅和客房张贴的不是风景画、仕女图或娱乐消息,而是宣传抗日、唤起民众抗战到底的标语,前方将士浴血奋战、鼓舞人心的战讯,揭露日寇狼子野心和残暴罪行的壁报……。他们利用顾客候餐、等人的空隙,开展形式多样的“时事问答”,答对的顾客奖给一碟小菜、一件点心或一份小礼物,答不上的顾客则给予他们深入浅出的解释。这一生动活泼的形式大受顾客欢迎,因而店内从早到晚,座无虚席。

“七·七饭店”还每周组织一二次晚会。围绕

抗战这个主题，采取民众喜闻乐见的形式，进行爱国主义教育。他们根据住宿者的各自情况，启发动员大家谈见闻、讲经历、析形势、传喜讯、抒感情、表决心等，每次活动都吸收不少旅客和附近居民参加，常常是尽兴始散。

1939 年 2 月，著名记者陆诒曾撰文在《新华日报》上介绍这家别开生面的饭店。几十年后一些老街坊提起它，仍然津津乐道。

"万 岁 袍"

莫冠杰

1925 年 6 月，香港和广州的工人举行了时间最长、震惊中外的省港大罢工。当时在香港做工的梧州籍工人纷纷返回梧州。在白鹤山英国领事馆的中国籍工人也举行罢工，表示声援。

梧州工人在地下党的领导下成立了工人纠察队，并通过梧州善后委员会代主任张难先的关系，领回一批枪支弹药，进行军事操练。工人纠察队日夜在街上巡逻、检查，禁止进口和贩卖"仇货"(指日货和英货)，一经发现，立即查抄。冬天寒风凛冽，透骨生寒，工人们穿着单薄的衣服在寒夜站岗、巡逻；有的冷得打颤，有的伤风感冒。地下党组织通过"梧州各界对外协会"，将查抄来的"仇货"拍卖，把一部分收入作为工人生活困难补助，一部分用来购买棉衣，分发给工人御寒。

当时有人打趣说："我们的口号是省港大罢工万岁，这棉衣就可叫'万岁袍'了。"于是，"万岁袍"的名字，就在工人中传开了。

桂林黑龙洞惨案

莫洪杰

1944 年 11 月间，桂林城防战败后，日军一个纵队向猴山隘追击守城溃军，至塔山乡驻下。离塔山二华里的马步江村石山边，有个黑龙洞，只有岩口，没有后路。全村群众约百人，发觉日军向猴山隘方向来时，即全部逃入黑龙洞里躲避。日军发现洞内有人，不问是军是民，先向洞内投掷手榴弹，继灌以汽油及辣椒粉，焚熏了两日两夜，致使躲在洞内群众全部窒息死亡，惨绝人寰。数年后洞中遍地白骨，乡人称该洞为"白骨洞"以示不忘，并作为日军残暴的罪证保存下来。数十年来，前往参观悼念的人莫不扼腕，痛恨日军暴行。

太平天国行军对联

赵大冠

1852年5月，太平军久攻桂林不下，乃撤围北进，攻全州。此时太平军已与清军血战年余，牺牲众多，全军连老幼妇女在内仅约五六千人，然斗志旺盛，纪律严明。途经灵川、兴安二县，秋毫无犯。行军时，太平军以长竹竿撑对联一副，文曰：

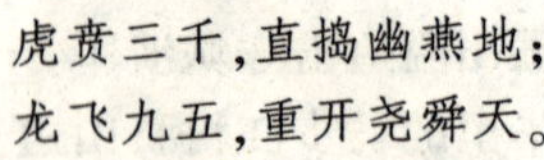

虎贲三千，直捣幽燕地；

龙飞九五，重开尧舜天。

联甚工整，不知何人所撰，颇能反映天国壮士们的雄心壮志与革命理想。

“朕安，陈嘉安否？”

梁上燕

陈嘉(1838—1885)，广西荔浦县人，为光绪十年(1884)中法甲申之战桂军统帅。当时，湘淮粤桂各军齐集而九战九败，文渊守将杨玉科战死。光绪十一年(1885)正月十三日镇南关(今友谊关)失守，大军溃入龙州，群情惶恐，朝野震骇。

巡抚潘鼎新被革职，始起用开缺在籍的提督冯子材。冯临危受命，统率各军到达龙州，即于镇南关后十里赶筑长壕，再于壕后建品字形炮台三座，以苏元春在左，蒋宗汉在右，自居中路以阻遏法军锋锐。二月初，法军集聚重兵，以猛烈炮火击溃左右守军，攻占两侧炮台，对中间炮台形成三面环击之势。冯子材居中坚守不退，形势危急，遂悬重赏激励将士夺回炮台。桂军统将陈嘉奋勇而出，手执军旗，亲率所部镇南军五百余，身先士卒冒弹雨冲进炮台，以大刀与敌肉搏，全歼炮台法军。

冯子材见炮台夺回，法军大乱，也持刀大呼，越壕冲杀。七十岁高龄主将在前，将士莫不奋勇争先，两军肉搏，枪炮亦不能发挥作用，法军大败。当日追至文渊，十三日克谅山。于是岑毓英逼兴化，唐景崧、刘永福出牧马，三路进击，转败为胜，扭转战局。陈嘉冒死夺回炮台，实居首功。

是役，陈嘉阵前肉搏重伤，犹挥刀杀敌不退。后来，慈禧太后致谕边臣时，曾经附笔写道："朕安，陈嘉安否？"

梧州桑寄生

李　昭

桑寄生在中药里，以梧州所产者最地道，可泡茶、入药、浸酒。《苍梧县志》云："桑寄生以入药，名独著，梧之长洲饶有之。"《百粤风土记》云："酒以寄生为上，官私皆用之，梧州者佳。"晋张华誉之为"苍梧竹叶青"。梧人外出，常带桑寄生若干，用以馈赠亲友及不时之需。

桑寄生治病之传说甚多：据说道光六年，洲人黎勉基考中举人，吏部选为浙江知县，赴杭州候补，因无门路，两年未得实缺。后浙江巡抚之子患痨症，久治未愈。某太医为处一方，需梧州

桑寄生为主药，而杭州无此药出售。黎遂将所带桑寄生馈赠，服后霍然病愈。顿时桑寄生之名，誉满省城。抚台为酬答黎送药救子之恩，即委派黎为昆山知县。

又据传长洲杨桥村之关广槐，系进士，曾任广东罗定、钦州、嘉应州州官及雷州知府，及兵部主事、钦差大臣。关宅右侧，即杨桥冲口，种有十多株老桑树，桑寄生甚盛。杨桥冲流水淙淙，所产桑寄生称为“响水桑寄生”，为桑寄生中之上品。关上京赴任时，闻慈禧太后苦于脾胃积滞，久治不愈，即以响水桑寄生进贡。太后服之甚佳，关因而受到赏赐。

三花酒与六峒茶

陈光宗

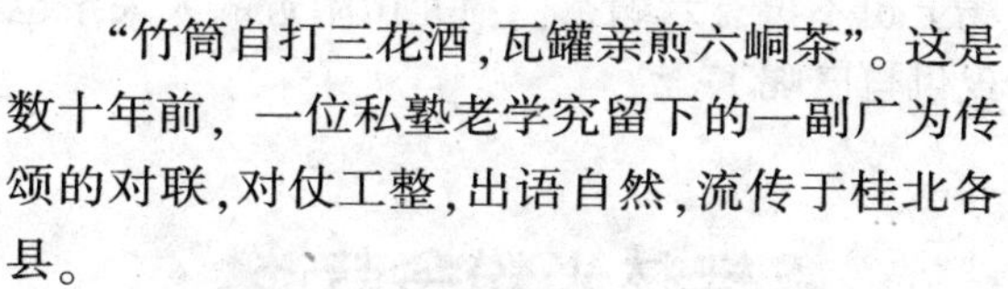

“竹筒自打三花酒，瓦罐亲煎六峒茶”。这是数十年前，一位私塾老学究留下的一副广为传颂的对联，对仗工整，出语自然，流传于桂北各县。

三花酒产自桂林，驰名广西。而桂林三花酒又以安泰源酒坊所酿为有名。安泰源的酒之所以好，首先是在就近九娘庙江边取水，这里的水酿酒最香；其次是酒坊资金雄厚，不卖新酒，出售的必须是存放三年以上的陈酒，所以香而醇。

前辈品尝三花有两条标准：一是酒虽属高度烈酒，但须入口不辣；二是下咽以后，酒香冲鼻而出，否则就不算好酒。

六峒茶在桂北一带很有名。20世纪40年代以前，桂林规模稍大的杂货店都在门外的金字招牌上大书"京果海味，六峒细茶"。实际上六峒茶却粗而不细。它产于资源、兴安之间的猫儿山，山上遍生野茶，任人采摘，沿沐水唐洞一带的村民，每年于清明、谷雨前后，男女老少都抓紧时机上山采茶，以土法烘制，自己喝不完就拿到市上出售。

当时，桂林市面上的茶叶多是六峒茶。多数人家往往是大量购下，用竹篓装好，吊在厨房灶顶上，随火烟熏烤，可以多年不霉坏，而且茶味既浓且醇，比新茶更好。

但六峒茶却不是冲泡就能喝的，必须用瓦罐煎至极浓，喝时倒小半杯茶汁，兑和大半杯滚水才好喝。但至今这种喝茶法已显古老，桂林市场上也不再有六峒茶，猫儿山附近的人采茶也仅供自己喝了。

桂林米粉今昔谈

余　生

云、贵、湖南、两广人吃米粉，犹之北方人吃面条那样普遍，可算小吃，也可作主食。广西尤为普遍。而桂林米粉在历史上更是独享盛名。

各地对米粉的制作大体相同。只要是好米榨出的粉条爽滑柔韧就好。桂林米粉久负盛名，不在米粉本身，而在调料和配菜的讲究。配菜是将卤好的猪牛肉及其心肺肠肚，过油稍炸，使其甘香而略带韧脆；调料则是肉类卤后所得的卤水，用以拌和米粉。一碗热腾腾的米粉，铺上一层卤菜，加些酥脆的黄豆或花生米，撒点芫荽、葱花，淋上熟油卤水，端上来香气四溢，入口鲜美。所以，卤菜甘香和卤水鲜甜才是桂林米粉的特色。

抗战前，米粉店起卤锅以大量豆豉为主，不用味精，但却又各有师法，家家不同。如早期的“鲜蓉斋”多用沙姜、八角、草果，甘草、老姜等以香胜；稍后的“会仙斋”用罗汉果则以甜胜；迨20世纪30年代后期的“义利居”和“又一轩”，普遍用上味精，也就显不出各家特色了。但是，一些沿街走卖的“担子米粉”却仍然保持各自的原来风味，很见特色。如南门的老姚和蒋矮子、学院街的老秦、依仁街的毛仔，在20世纪50年代还很有名气，生意十分兴旺。

马肉米粉在桂林卤味米粉、原汤米粉之外，又独树一帜，为其他地方所无，因而名气比卤味米粉更加响亮，吃法也很特殊。入冬后上市以马骨和马肉熬汤至极浓，呈乳白色，用老式盖碗茶杯稍小的碗，烫好只够成年人吃一口的米粉，上

铺熟马肉和腊马肉各三几片，撒上芫荽加上一瓢滚热的汤，吃起来一口米粉下肚，喝两口热汤，嘴里咀嚼着香甜的马肉；第二碗立即又端上来，依旧味鲜滚热，所以能得到人们的推崇和爱好。一般吃二十碗很平常，能吃的人吃上三五十碗，也不算稀奇。喝酒的剥上点花生米更觉有味，因马肉性热，又需趁热吃，所以只能于冬初到春末经营，入夏以后就收歇了。

而今，米粉在桂林的小吃中已成独霸之势，好些传统小吃都被挤掉。理由很简单，就是经济实惠，不但多数人以之作早餐，少数人还以之为午餐，甚至一些外来旅游人士，懒于进饭店时，花上几角钱，随处吃碗米粉也够一餐，何况其味还很不错。

个体经营者为了竞争，往往别出心裁，各搞各的风味，有恢复旧时传统的趋势。至于马肉米粉虽出现过一两家，但已改成大碗，无论其调味如何，越吃越冷，只就这点而言，就已失去往昔的风貌了。

龙虎酒泉

萧铭新

龙虎关为广西恭城县与湖南省江永县交界的关口。关下(靠恭城一侧)有一口天然奇井，俗名“九牛井”，雅称“龙虎酒泉”。

该井有二奇：一是井水含酒味。据有关部门测定，含酒精浓度为3—5度；二是井水有延年益寿之功效。据有关科研部门化验，水中含三十多种人体必需之微量元素。据调查，饮此井水之村民，长寿者甚多，其中有村民周笃程，男性，八十一岁竟还能提起五十多公斤重之木料。又有老妪郑姑娘，一百零六岁时容颜如同六十岁的妇女。据村史调查，饮用该井水之附近农民，未曾发现有死于癌症者。

“龙虎酒泉”以“酒”字闻名。早在清末民初，村民就利用泉水酿酒，成为恭城酿酒中心，小小村舍，二十多家酒坊，年酿三千多坛，三大码头运酒远销梧州、广州、佛山等地。所产的三花、米双、银花露、肉冰烧酒皆有名气，尤以“龙虎酒”最为著名。其中“济合”酒店所酿的“龙虎酒”，酒味醇厚，芳香浓郁，异于他店。当年费孝通教授到金秀进行民族调查，特别喜爱饮“龙虎酒”。1988年，费教授再访恭城时，重尝“龙虎酒”，觉得更胜当年。

1944年日军入侵，龙虎关被炸成一片瓦砾、焦土，“龙虎酒”连同“酒泉”亦销声匿迹。

近年，“龙虎酒泉”重新被挖掘出来，附近村民又喝上了“龙虎酒泉”之水。今日恭城县采用“酒泉”之水酿酒的酒厂已投产外销。

名噪天下的龙州砧板

李白凤　何哲夫

龙州蚬木，木质坚实细致，为我国珍贵用材树种之一。名噪天下的“龙州砧板”便是以蚬木为材锯制而成。

龙州砧板，圆形，直径多为三十八厘米，厚度为四厘米，色泽红润，平滑如镜，木纹坚细，虽利刃斩剁，不见刀痕。实为希世厨具珍品。国人争购，遐迩闻名。

一块蚬木砧板，一般可用二十年，使用适度，保养得法，可历两代。据行家称：新砧板须置于煮沸的盐水中浸泡三十分钟后才可使用，忌烈日曝晒，经常保持砧板湿润，秋季风高物燥，更要注意淋水，这样枯木逢春，可得“葆光”之秘。

龙州榄角

李白凤　何哲夫

广西龙州，盛产榄角。榄树为常绿乔木，八九月间结果。果皮黑者叫乌榄，青者名青榄。榄果成熟后放入锅中，浸入冷水，用微火慢烧，不时翻搅，使榄果受热均匀，一俟水温烫手，盖上锅盖十多分钟后捞出，用线截之，掰为两截，去核，填入少许食盐捏扁，即成榄角。

榄角拌以姜丝肉片炒之，喷香可口。此外榄角还有一种独特食法：将碎肉泥填入不放盐的榄角，或蒸或炆，其味更佳。

制成的榄角晒干后，可存放数月，亦可将不放盐的榄角置于酱油中浸透，取出晒干，放存来春食用，其味尤佳。

榄果全身是宝，除榄肉可食外，核仁作饼馅是上品，核壳又可代替木炭使用，在榄核上雕刻虫、鱼，作为扇坠，是小巧别致的工艺品。

平乐柿饼

韦敏祥

平乐柿饼，系以柿子制成之果脯。因个大而圆，又名“月柿”。

其制法将红熟柿子置石灰水中浸泡，除去涩味。去皮洗净后缓缓压扁、晒干置瓮中，待柿饼表面长出一层白霜即可。

平乐柿饼，透明细腻，霜白味蜜，绵软富弹性，含有较高糖分和多种维生素。除食用外，尤具较高之药用价值。据《本草纲目》记载：柿饼“能补虚劳不足，消腹中宿血，健脾养胃，消痰止渴”；柿霜“则有清上焦心肺热、治咽喉口舌疮疼之功”。

清末某文士游平乐，叹柿饼兼色、香、味之佳。有诗云：

秋老南天满树香，家家压饼赶圩场。
蜜情月色缠绵意，难买千金一抹霜。

玉林“鱼皮馄饨”

李伟谨

世之馄饨皆用薄面片包馅制成。而玉林城内有一唐姓师傅以妙技制成“鱼皮馄饨”，自民国十五年迄抗战初期，以其技精味美，享誉一时。

所谓鱼皮馄饨，并非以鱼皮作馄饨皮，乃先将活鲮鱼去鳞去脏，用刀刃刮取鱼肉，经捶打后变成有韧性肉泥，擀成一块块约一毫米厚的薄片作包皮，再包上馅子。

鱼皮馄饨汆热汤即熟，鲜甜滑脆爽口，鲜美异常，视为小吃或席上奇珍，供不应求。然制作过程全仗手工，费时费工，无法大量生产，当年唐某每日只能定量供应，售完即止。欲尝者迟必向隅。唐某逝后，其儿孙虽谙其技，但已改营别业，名噪一时的玉林“鱼皮馄饨”，也就不复见市。

"死在柳州"

吴志雄

我国南方,流传着几句话:"生在苏州,穿在杭州,吃在广州,死在柳州。"其中"死在柳州",意为柳州棺材因质优工巧而饮誉全国。

清末民初之柳州,经营棺材寿板业者,多在柳江河北岸的长寿街。全街铺店都摆满棺材,尺寸大小及各种式样齐全;以技师之优劣而定价高低。当时未有火葬,不论官民死后,均以棺殓土埋;营此行业,倒也方便民需,故生意颇为兴旺。

其实,柳州棺材之多,全系依赖柳江河上游盛产木材之融县、三江两地运送寿板,源源不断,仅融县长安镇,经营棺材运销的当年就有吴瑞记、李祥和两大户,中小业户则为数更多。

制作棺材技匠,首推长安人祝六八及其徒工赵发昌、黄耀斌等人。所制棺材式样,昂头雄壮,且头尾两面,刻龙凤,雕福鼠;不用图样而信手刻来,栩栩如生,异常精致。

造棺之木,最佳者为春芽木,质坚色黑发亮,敲之咚咚有声;其次为油杉,质坚色红,不渗水,可防潮。以此两种木质作棺。均能避免鼠啃蚁蛀,埋地百年不朽。

柳州最昂贵的两副棺材

梁　辛

柳州棺材以其质地上乘，做工精致而名闻遐迩。有人为死后得到一副好棺材，竟以“死在柳州”为幸事。

柳州棺材一般分大、中、小号三个等级，也有应顾客要求特制的。棺价视材料和工艺而定，一般在二十至六十银元之间，也有高达千元以上的(此类棺材全是用珍贵的楠木或榛木、蚬木、春芽木和红、黑油杉精制)。

1935年，曾任广州卫戍司令、马平保安总局督办、被孙中山大元帅授予三等文虎章的陆军少将高景纯在柳州逝世。其家人为他定制的特大号棺材，是用一截重约一千余公斤的大棺木所制。棺高为1.33米，长2.33米，头尾刻有双龙戏珠和五蝠捧寿等浮雕。价格为一般棺价的100倍，达2千块银元。出殡时由32人以大小长短不一的31条木杠穿插成六个层次抬运。据说，此为柳州棺材史上最名贵的棺材。

1989年，台湾一位富商在深圳见到柳州在该地展出的一对高级龙凤配对棺，棺材首尾刻有“福”、“寿”字样浮雕，一棺身雕有一条龙，另一棺身雕有一只凤。对棺选料至为上乘，做工之

精细，令台商叹为观止，当即以三万美元向柳州市寿枋木制品有限公司订购。他说："这已不是一般棺材，而是一件相当高级的工艺品。价格高点也值得！"

海洋白果

黄万玉

白果，因其果核具有角质白色硬壳而得名，又因其果皮在由青转黄期间，披有一层白粉，色如银，其形似杏，故又名银杏。它是生存在两亿年前的一种极为古老的珍贵植物，在世界各地大都绝迹，故又有"活化石"之称。

白果在我国分布较广，大江南北均有。江西庐山著名的"三棵树"，其中就有一棵是银杏树。我的家乡——灵川县海洋乡及海洋河沿岸兴安一带的白果树生长茂盛，每年挂果累累。每当秋日白果成熟时节，进入海洋境内，即可看见"村村银树成林，树树叶青果白"，景观十分壮丽。

海洋乡是灵川县白果的主要产区，素有"白果之乡"的美称。海洋白果由于栽种历史悠久又大都进入盛果期(树龄 40 年以上)，具有成熟早(一般九、十月成熟，而海洋白果八月中旬就有上市了)、高产 (大约一株壮年树单株可达 350 至 450 斤)，皮薄核大(每公斤 250 至 350 粒)、肉质细腻的特点,近年来备受中外客户青睐。

白果核仁营养丰富,经济价值很高,又是重要的中药材。宋初即被列为纳贡珍品。明李时珍《本草纲目》称:"熟食温肺益气,定喘咳,缩小便,止白浊,生食解酒隆痰,消毒杀虫。"据有关部门统计 1979 年至 1984 年灵川县每年出口港澳、东南亚及日本的白果约二千六百多吨,其中海洋白果占一半以上。近年由于加强了管理,产量又不断增加。

民初国会议员选举一闻

邓庆荣

民国肇始，推行“民主”，参众院立。时陆荣廷督桂，奉北京电促广西选派参众议员入京磋商国是。参议员一席，陆指定曾彦任之；众议员各席，则由各道区“遴选贤能”充任。镇南道辖十五属县，为崇善、龙州、宁明、明江、凭祥、左县、雷平、上金、镇结、龙茗、万承、向都、养利、镇边、靖西。开选时，陆荣廷派曾彦前来向都选举区监选。十五县亦各派团总参选。其时候选人为侯绍勋与凌雅林两人。侯绍勋字公如，龙州人。光绪三十一年考取官费留日，入法政大学速成科兼经纬警察。靖西凌雅林少负文名，弱冠考取官费留学日本，入弘文师范攻读，学成服务桑梓，任中学校长、教师，旋长百色统税局。方其留日回国，曾偕诸生联名晋谒康有为，贽见礼每名二百洋。时凌囊中羞涩，幸康闻知其善书法，乃免贽礼，只嘱其书一条幅以见，深得南海嘉许，因回赠一联曰："书法超秦汉，吾道在西南。"从此凌名愈噪。选举时，镇结、龙茗、向都、养利、镇边及靖西六县团总皆投票选凌雅林，其余各县则选侯绍勋。唱票时二人票数对等，尚有一票只书一"侯"字而空白其名，众表决此票无效。龙州方面要求重选，靖西等六县反对，相持不下。初则双方诟詈，继则动武，几酿流血。曾彦见状，厉声喝住，并宣布："勿庸再选，就是凌雅林当选，散会！"

此虽管中一斑，然亦可见民初之"民主"为何物矣！

笔者1946—1949年初在南京联勤总部供职，经常乘暇偕三两同乡诣立法院宿舍大楼趋候立委曾彦老，蒙老人热诚接待。初尚拘谨，跑得勤了，就无所不谈。老人虽离乡数十年，眷属皆操上海话，而老人乡音未改，谈风甚健。那年他再度旋梓竞选立委，返京后，我们祝贺胜利。老人谦虚地说："对手比余获票尚多，惟余乃内定名额也。"因话及民初选举众议员事如上。

陈炯明祸桂

梁 文

1921年入桂的陈炯明粤军，毫无纪律，所过处奸淫虏掠，层见叠出。逢马必牵，用以代步；逢人必拉，用作伕役。且往往在路上随意枪杀老百姓，如果有了藉口，即施行残杀。有一次，东津附近的大李村，有个十余岁的男孩在林里打鸟，过路的粤军听到枪声，即将树林包围，把男孩解到东津，硬说他是向粤军射击。男孩的寡母到营中哭诉，愿以身代子，复经团局力保，均无效，还是将那男孩枪毙了。至于经过有抵抗的村庄，则更玉石俱焚，化为焦土，惨不忍睹。如贵县、武宣、武鸣、龙州的焚烧屠杀，是最突出的，其余是无法枚举了。孙中山的讨陆和北伐，是为了革命，是广大群众所拥戴所渴望的，而陈炯明则借此荼毒无辜人民，这是孙中山所痛恨，也是广西民众所痛恨的。

当时同正县(今划归扶绥县)文人曾鸿藻曾有《掳妇女》诗一章，述其暴行。诗曰：

粤东本邻封，征服侵岭西，丽江已血刃，名山又铁蹄(谓大明山)。维时西野黄，蹂躏遍稻畦；屠戮及焚烧，掳掠及中闺。女将为人婢，妇将为人妻，前途随所驱，不殊

犬与鸡。父母逃且散，泪眼空悲啼；夫儿死何生，肝肠割惨凄。去去日已远，乡里各乖暌。落花逐狂飙，焉能回故蹊。亦知天壤间，何处不可栖。骨肉久则忘，身世理亦齐。哀我以武鸣，遗祸流长溪。至今鸣咽声，黯淡愁云迷。

中医耆宿陈务斋

赖奇才　凌　琦

容县陈务斋，自幼随父习医，既承家学，对中医传统经典著作亦有心得。早期悬壶应诊，即有声名，尤擅治时症及流行病。容县地处南疆，常有天花及流行病蔓延，经陈务斋诊治，往往药到病除。仅1918年秋冬之际，经其治愈病人即达千数，民间曾致送匾额，彰其医术精良。1935年，广西省府并授以嘉禾勋章。

陈务斋临症诊断精确。1939年，有昭平马江病妇卢邱氏，怀孕两年零四个月不产，经西医三次检查，诊断为肿瘤，后经陈务斋诊断为久孕逾期。四诊以后，病人回家十八天，顺利产下一女，取名耐芳。即此一例，足证其判症有独到之处。

1927年，上海大东书局在全国征求名医验案，由名医何廉臣汇编成《全国名医验案类编》，选用了陈务斋的医案十四则。此书于1949年后

仍一版再版，可知其在中医临症治病方面确有心得。

陈务斋卒于1946年，时年七十五岁。

西医传入桂林之始

吴　晋

光绪二十五年(1899)英国圣公会传教士裴乐义来华，由广东经梧州溯江而上到达桂林，船泊东门漓江岸。因遭桂林民众的强烈反对，裴乐义在船上几个月不能上岸。

其后，裴乐义找了本地一位叫宋崇贞的人，教他讲桂林话，同时，利用随船带来的西药为民众诊治伤病，真的治好了不少病人，他就乘机传道。消息传开，看病要药及听道的人也就多起来了。这就是西医西药传入桂林之始。

裴乐义施医传道获得了一部分民众的信任后，上岸入城，在文昌门街租得房屋，两年后便在下十字街建立了中华圣公会福音堂，1912年在北门正街建立道生医院（今桂林妇幼保健医院），当时聘请女医生柏德贞主持医务，每年来就医者多达万人。

1937年柳州集团结婚

梁　士

为了“革除婚礼崇尚奢华、糜费金钱之陋习”,1936年11月,柳州县长杨盟发起和组织了柳州有史以来的第一次集团结婚活动。

这种移风易俗的婚礼形式，得到多数人的赞同、支持,因而进展顺利,县政府遂制定了《柳州县集团结婚办法》和《参加柳州县第一届集团结婚须知》。《办法》规定:集团结婚统由县政府办理，凡县籍及旅居本县之人民申请参加集团结婚,须赴县政府领取申请书,并缴礼堂费国币二十元，男女近期四寸照片三张，集团结婚日期、礼堂,由县政府择定,县长为证婚人,结婚证书由县政府制发。《须知》指出本届集团结婚的日期、地点、着装(穿国货礼服或制服),用鲜花,不撒纸花,及不用傧相外,其余物品均由礼堂备办。新婚夫妇及其家长不得另自张筵,违者照改良风俗规则议罚。

1937年1月1日,十二对新人依照《办法》和《须知》的要求在县党部内(今龙城路杂粮店西侧)参加了柳州县第一届集团结婚。由县长杨盟致祝词,并邀请许多年高德劭、素孚众望的老者观礼。此外还有主婚人、介绍人、男女双方直系亲属以及领到观礼券的戚友。婚礼完毕，由杨县长夫妇张筵宴贺各新婚夫妇，并请主婚人、介绍人、直系亲属及致祝词老者列席。至此，第一届集团婚礼圆满结束。

举办首次集团结婚，使杨盟深受鼓舞。后因抗战爆发，杨奉命他调，遂使这种新式婚礼未能继续推行下来。

能工巧匠说“雅公”

陈光宗

七十年来，桂林的能工巧匠，要数人人皆称的周哑巴。其人幼年一病而哑，人称“雅公”。他不仅能修精密机械仪器钟表，旁及篆刻治印，且擅长修复各种古旧文物字画，不留破损痕迹。数十年来不少破损的公私文物，经他巧手整治，都能完好如初。

说他是天才，是因为他既无师承，也没进过学校，全凭他自己的聪明才智，潜心揣摸。据说20世纪60年代时，上海某著名手工艺人闻周哑巴之名，专程来桂林访雅公，见其手艺之精，大为佩服，自叹勿及。

雅公自幼家贫，读书不多，稍识之乎，就患喑哑。我认识他是在20世纪30年代初，其时桂林仅有典雅书局和许景泰两家经营铅印业务。

铅印字颗购自上海，不能自铸，如遇字颗短缺，就刻木字颗替代，当时我在典雅学铅印，常要找他刻字颗，他的篆刻也就是从刻木字颗开始的，那时他年已三十，以此为生，极为穷困。后又渐渐学修钟表，进而兼及其他修理工作。20世纪30年代末，就几乎无人不知周哑巴了。

雅公为人诚实硬朗，说一不二，工作负责，顾客不满意可以退货。20世纪50年代初期，广西医学院一些眼科手术器械多自德国进口，已不能再用，而又无进口器械补充。于是找雅公商量仿制，他一口承诺。并声明仿制品试用如不满意，不取分文。以后，医学院好多医疗器械都找他制作，他年近八十，犹终日操作不辍，病卒于20世纪70年代末。

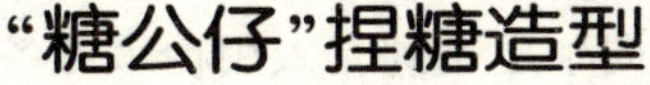

“糖公仔”捏糖造型

唐侬麟

泥人张以善捏泥人蜚声宇内，以面粉团捏人物、动物的手工艺人亦复不少。桂林蒋氏父子操其业，颇负盛名，但很少捏面团。而是以糖捏塑各种动物和人物著名，其子蒋国春人极风趣，更名噪一时，桂林人均以“糖公仔”称之。无论大人和小孩，都知“糖公仔”其人。

“糖公仔”捏糖造型，是以温火将黄片糖熬

溶成有韧性的柔软糖团，调上各种颜色，既不粘手也不溶化，然后随取一小团以口吹气，热的糖团在手里便像吹气球那样慢慢胀大，中心亦空似气球，待糖团冷却，形状也就固定，诸如葫芦、老鼠、猴子捧西瓜、仙女打伞、关公舞大刀等五颜六色，栩栩如生的人物、走兽，非常有趣，极逗孩子们喜爱。最出色的尤以糖捏成近尺长的喇叭，吹起来，声闻百米以外。因而只要蒋国春把糖担子歇下来，将糖喇叭吹上几遍，街头巷尾的孩子们便闻声而来，将“糖公仔”团团围住，有的看、有的买、有的笑，热闹极了。我家和他是近邻，幼时也曾围着他的糖担子转，不少大人也常来看他捏糖。

20 世纪 50 年代初，蒋国春改业卖凉茶。1956 年公私合营时，参加饮食行业，不久逝世，他没有儿女，这门手艺也就失传。近年我在国内其他城市偶尔也见到有人用糖来做各种动物等小玩艺的，但还没有见到有像他那样如吹气球而后造型的捏糖手工艺人。

禁烟和禁赌

苏乐民

民国初年，地方军阀拥兵自重，经济来源大部分来自“烟”和“赌”，他们表面大喊“禁烟”、禁赌”,设立禁烟局,也要抓赌。但禁烟局实际上是专职贩运和销售鸦片烟的机构，抓赌是抓那些没交赌税的赌徒。广西在新桂系统治稳定之后，也曾有过一段时间认真禁过烟赌。迨 1948 年，却又公然大开烟赌禁。

是年夏,我在省民政厅工作,且管禁政。厅长张威遐以会议形式通过并成立了“禁烟督办处”,派韦云淞为督办,署址设南宁。又在百色、桂林、柳州、玉林、贵县和梧州分设禁烟处。实际上是由督办处和禁烟处大量贩运鸦片烟销售。稍后不久,又在桂、柳、邕、梧准许开赌,规定各市每一季度缴赌饷四万元光洋，以黄金折价上交。各市承包者都到民政厅签承包合同,合同由我签名,此后,各县以至乡镇村街都大开赌禁。

建国前夕,黄旭初住南宁,部属去见他都可得三两百元。我和同事邓健人见到他,他也给我们每人二百元光洋。据说,省府高级官员逃走香港时,各人都得了百两以上的黄金,这批金银,都是大开烟赌禁中得来的。

梧州的“水上街市”

周百熹　口述　骆　扬　整理

自宋始，梧州便有以舟为室，视水如陆，浮生江海的水上居民，称为“艇家”(也称疍家)。在抚河(桂江)东岸，自铁柱码头至石巷口(今九坊路)河面一带，货筏、艇户、酒楼、花舫，雁列成行，誉为“水上街市”。

酒楼：用三艘桥船作筏底，上盖板木楼房。分上、下两层，日间开茶市，夜间分为几个饮厅，下层为旅宿。抚河的酒楼，著名的先有高升楼，民国十三至十四年(1924—1925)间的西江酒楼，继后的岭南楼，抗日胜利后的冠江楼等。

花舫：是较长较宽的船，船头有拱檐，写明某花舫。舫内窗明几净，陈设幽雅，可摆酒席两三桌。船舱后有房、厅及厨房等。

四柱艇：是较宽敞的船，窗开两面，可容筵席一桌，陈设亦颇幽雅。每艇都有艇名，如容妹艇、亚娇艇等。每艇都有一女侍负责招待客人，称之为“艇心”。夏秋时节，可放艇江心，饮宴作乐。

酒菜艇：专备各色酒菜，供应花舫、四柱艇和水上艇户，丰俭由人。酒楼、花舫耗费较昂。游客多喜在四柱艇饮宴。

梧州的妓院以舟为室，被称作“水上妓院”。水上设寨却与众不同，水上妓寨，分为上筏、中筏、下筏，均以其湾泊的位置取名，其中以中筏雏妓最多，且装饰趋时。民国十三至十四年间，更有称“南词筏”者，此辈妓女多属湖南籍，所唱均为湖南曲调。民国十七至十八年至民国二十一至二十二年，为水上妓寨最盛期。粤班妓女多达八九十人。妓女分为两种，一种称歌妓(清末称校书)，俗称“琵琶女”，善弹琴唱歌、流行曲调，只应酒局，不应宿局；一种称“老举”，应酒局亦应宿局。妓女多由鸨母定艺名，如花婵娟、嫦娥等。

桂林叫化院

陈竹残

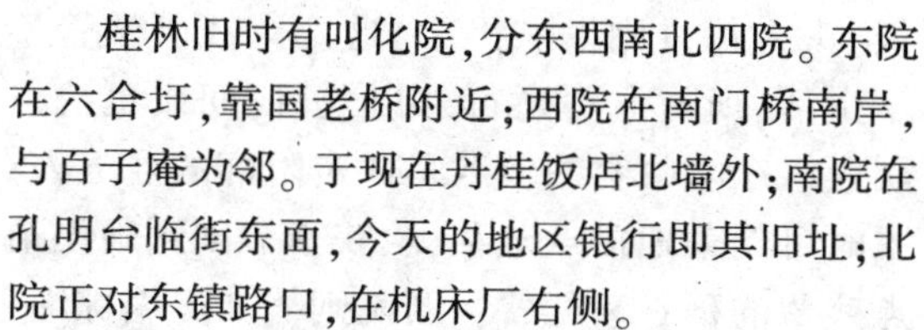

桂林旧时有叫化院，分东西南北四院。东院在六合圩，靠国老桥附近；西院在南门桥南岸，与百子庵为邻。于现在丹桂饭店北墙外；南院在孔明台临街东面，今天的地区银行即其旧址；北院正对东镇路口，在机床厂右侧。

四院各有头人，但不相属。20 世纪 20 年代至 40 年代末，南院头人名秦水保，北院陆子贞，西院于七三。以上三院还有知道情况的。至于知道东院的，已一个也没有了，故东院的头人名叫什么，已不记得。

各院头人，在院中有绝对权威，他那条打狗棒可以责打院中所有的人，不准反抗，所以乞丐们都怕他。全城凡是因婚丧喜庆请客的人家，南北两院头人一早就亲自上门，给主人送上一张“葫芦帖”。所谓“葫芦帖”者，就是一张32开的红纸，上头画一个葫芦，下写南北两院，秦水保、陆子贞两人的名帖。主人见帖就得发送他们一点钱，多少视主人经济富裕情况，经过讨价还价把两人送走，将这张名帖往门外一贴，其他乞丐见了就不敢上门聚众吵闹了。

南北两院头人，在全城垄断了这项权益，全仗人多势大，东西两院各仅有三十二人，力不足争，所以不能出头露面。

故老传闻，始设叫化院，约在清朝嘉庆年间。原来只不过由地方富户出钱建造一些矮屋让本地的老弱病残乞丐有一个住所，不至露宿街头。生活方面每人每月仅发给三十二个铜板，头人每月则发三吊二，这几个钱当然管不了生活，所有乞丐还得外出乞讨，间或也搞点副业。东院收容的多数是江东附廓的乡下人，平时可到菜地拾点老菜，收获季节则到地里拾点残留的稻谷和红薯；西院则靠加工编棕绳。南北两院从事的项目较多，除了收购猪鬃、猪骨和鸡鸭毛，还编制毛刷、鸡毛掸和理发用的绒插。夏夜街头唱莲花落的女盲人，也都属南北两院。

早期还在南院划出一部分房屋设“栖留所”，作为收容少数外地流浪到桂林来的乞丐之用，属临时收容性质。每人每月发稻谷二十斤，待遇略丰，这样有的人就索性住下来不走了，久之也就成为固定户；但“栖留所”的名称，仍保留不变。

叫化院的建筑为旧式三开间平房，北院有平房四排，每排九间，每间合住两家，每家夫妇两人，多数有子女；南院包括栖留所，建有的房屋更多，收容的人也多。东西两院仅各有二十余户，收容的人就少得多了。

抗日战争时，桂林沦陷，叫化院全都毁于战火。胜利后，旧日住在里面的乞丐逃难归来，随便搭盖，作临时住所，情况就零乱得多了。

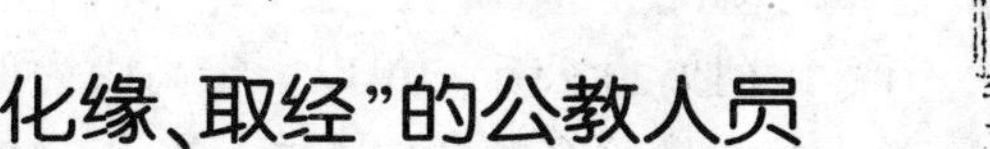

“化缘、取经”的公教人员

雷　成

南宁在解放前的二三年间，物价飞涨，国民党钞票急剧贬值，老百姓蒙受巨大损失，都抵制和拒绝使用先后发行的国币、关金、金元券、银元券，市面交易多采用以物换物，大宗交易除了暗中使用金条、光洋、银毫和港纸、越币外，多以棉纱、茴油、桐油、汽油或谷米豆类等彼此按价交换。日常生活用品即以白米作本位，例如白米

2.5公斤兑生油0.5公斤,1.25公斤兑白糖0.5公斤,1公斤兑酱油0.5公斤,5公斤兑猪肉0.5公斤等等。连买包香烟火柴,食碗粉粥,小贩也有照样收米的。有些交易无法收米的,如理发、戏票、书报杂志等的价款则采取所谓"虚米制",理发2公斤,剪洗3公斤。戏票按前、后、楼座分别收米1.5公斤、2.5公斤、4公斤等等,以当日的米价加三四成甚至一倍计款收钱,有时一天数变,真是早晚时价不同。

当时公教人员的待遇,私立中小学的学杂费早就收谷米,因此教师员工还勉强每月得100至300公斤米。而公立学校的却照样按原工资加倍数发纸币,到1948年5月才开始每月得25公斤补助学米。秋季起公立学校高中学生每学期收学费谷125公斤,初中收100公斤,小学收20公斤。单以南宁高中为例,每个学生每学期须交学杂费227.5公斤。1949年1月起,公务人员一律改支实物,薪津在五十元以内的月支谷175公斤,超过每元加0.5公斤;乡镇长月支120公斤;雇员支80公斤;中心学校校长支75公斤,教师支50公斤;村街长支60公斤。可见中小学教师待遇之薄,生活之苦。

最可笑的是当时县属各区乡的参议员和区乡镇长来南宁开会,身上都挂着个布袋盛着几十斤大米,作为沿途食宿和购买物品之用,回去时即装文件和物品。人们都取笑他们似和尚化

缘,像唐僧上西天取经,他们自己也感到狼狈不堪,啼笑皆非。

1947—1948 年柳州市通货膨胀一瞥

梁志强

1947 年,南京政府平均每月要发行一万多亿元钞票来弥补财政赤字。通货增发的结果,使得金融情况更加恶化,物价如脱缰野马,瞬息数变,百姓苦不堪言。自万元大钞应市不久,柳州市面即不断出现一些令人啼笑皆非的事:

一、1947 年 10 月末,商店即拒收四百元以下的小钞。持币者无奈,将四百元以下面额的钞票混迭成扎,将它同愿收此钞的郊农换菜,一斤钞票换一斤蔬菜。这种交易只进行了两天便终止了,因菜农得知市面行情后,恐怕吃亏不再收纳。11 月 5 日,中央银行柳州分行将四百元以下小钞三百余箱(共三亿多元)陆续运到电厂锅炉焚烧。

二、1948 年 3 月 11 日,十万面额钞票出笼,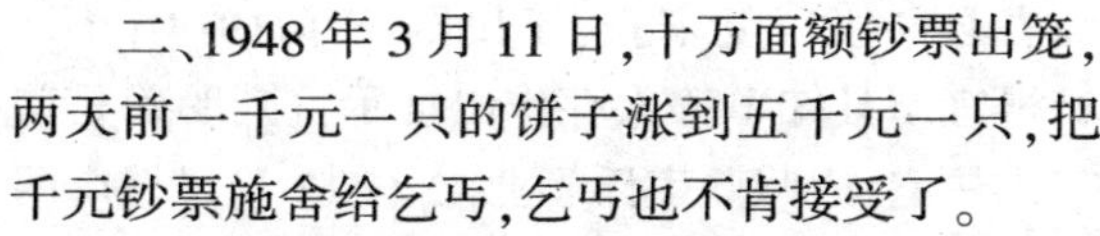
两天前一千元一只的饼子涨到五千元一只,把千元钞票施舍给乞丐,乞丐也不肯接受了。

三、1948 年清明节时,到郊外上坟的人,不约而同地首次不烧冥钱纸而烧千元的钞票。因这时一万元只能买到几张冥钱纸，烧钞票比烧冥钱纸合算。

四、1948年4月中旬，某旅客在市内太平中街一馆子吃饭，店主言明米饭两万元一碗。顾客吃完要求盛第二碗时，店主告知已涨至两万五千一碗了！弄得顾客啼笑皆非，无可奈何。

告土司官寡妇获胜

韦甘睦

民国二年(1913)冬，宜山境内永定长官司最后一任土官韦秉钺(当时已废土司，但土官尚有一定势力)企图将邻村寡妇蓝韦氏两座住房和周围一片土地占为己有，便命家丁将两杆红布旗分别插在房顶和附近约十多亩的土地上，强令蓝韦氏搬迁。蓝韦氏多次向土官哀求，向县官告状，但都无结果，逼得带着儿子跑回板磨古伦屯娘家，向其外祖父潘德辉诉说。

潘德辉听了外孙女的哭诉，当即写下状词并同蓝韦氏及其子蓝桂吉，前往省城桂林告状。经省县两级反复审查，于民国三年(1914)1月6日得宜山县知事赖人存作出批示，判明确是蓝韦氏住宅，应归蓝韦氏管业。2月13日又得广西都督陆荣廷的批示，确认蓝韦氏家的土地与官荒有别,不得充公。并指出“该土司不能约束子侄,以致凌逼孤寡,应查明严予处分”。

蓝韦氏打赢了官司,就将陆荣廷的训令和赖人存的批示分别刻在两块石碑上,并嵌于大门两侧墙下,以防土官再来滋事。该二碑各高 60 厘米,宽 45 厘米,至今尚存原处。

蓝韦氏官司既胜,村民们莫不拍手称快,在一片祝贺的鞭炮声中,送来了不少贺联,其中有:

是塘房,是民房,乡评不谬;
能欺尔,能害尔,天报非遥。

田返汾阳,弱鲁幸恢故业;
璧归赵国,强秦枉使奸谋。

嘉鱼稳住深渊,任渔人密网横拦,终莫伤其翅甲;
好鸟高栖乔木,凭猎者阴枪冷套,实难致于牢笼。

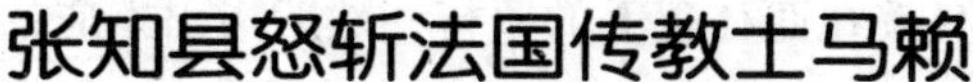

张知县怒斩法国传教士马赖

李懋椿

清咸丰六年(1856),有百姓白三等人具名投状西林县衙,控告法国传教士奥古斯特·马赖借传教之名为非作歹。

经详密调查：马赖于咸丰三年(1853)春偕女教徒曹贵、白小满及仆人巫老五等在白家寨借“洗礼”为名奸淫妇女，包庇杀人越货的教徒，霸占百姓田地，制造宗教纠纷……。前任知县黄德明曾将马赖驱逐出境，后又悄然潜回，继续作奸犯科。

白三投状后，见县衙未将马赖等人捉拿归案，遂又将马赖等人拆神台奸污白三之妹及侄女，以致侄女羞愤，自杀身亡等罪行写成白头帖张于街市，一时间县城沸沸扬扬。

张鸣凤见民愤难平，下令捉拿马赖。马赖着慌，仓惶逃入教徒罗恭叶家中藏匿。得知情者举报，衙役将马赖及教徒曹贵、白小满和巫老五等十五人捕获。

咸丰六年正月二十一日 (1856 年 2 月 26 日)张知县升堂审讯马赖。百姓蜂拥而至，把衙门围得水泄不通。

公堂上，张知县首先指出逮捕马赖之理由是马赖“潜入”内地传教，违反《黄埔条约》，再罗列马赖在西林犯下的罪行，然后指出本应依法严处，马赖系外国侨民，如能认罪悔过，具结保证，还可宽大。

马赖狡黠，对违反教规之事不敢置辩。并不承认有肇事或谋反阴谋，一味指骂张县长压迫传教自由，违反中法条约。百姓见状，群情激愤。

张知县见马赖拒不认罪，态度横蛮，反而恶

语相向，咆哮公堂，感到不杀不足以平民愤，遂于咸丰六年正月二十四日(1856年2月29日)，将马赖在西林县斩决。

陆荣廷靖西佚事

邓庆荣

一

陆荣廷喜读《三国演义》。清光绪二十九年(1903)，陆任管带时到靖西招安，有惯匪某不肯受编，依旧作恶。某日该匪潜入县城。陆得报，暗派武装潜伏于郊，又遣保长四街鸣锣，宣言"各户不得窝匪，如违，与匪同罪"！移时，该匪已作阶下囚，盖陆深知土匪习性，故意张扬，使其闻风潜逃，而度知其必经之路，布下罗网，以免滋扰群众。可谓是陆熟读《三国演义》之收获。

二

有黄亚良者，曾居绿林，原为陆旧部。清光绪三十年(1904)退役回乡，陆尝严戒其不许重操旧业，亚良信誓旦旦。待陆离靖后，亚良又继续作恶，劫路绑票，无所不为。越年，陆返靖西，受害家属踵告，陆为发指，乃唤黄松山前往捉拿。黄以孤身赤手，虑难成命，陆即解下所佩手枪，

嘱以示亚良，彼必随来。果然，黄在新圩赌兴正浓，及见手枪，面如土色，驯顺随来，见陆时颤抖下跪，哀告求饶。陆恶其口是心非，为杜后患而儆徒众，将其处决。

三

陆荣廷在靖西县城建一公园，取名“斌园”，亲笔书题园名。民国十一年(1922)陆与地方八位耆老换帖，合称九老，又在土丘顶部立一“九老亭”。陆亲笔挥书“同登仁寿”四字，制成匾额，字大如斗，颇苍劲。落成时，在宴会上，陆提议：“吾九人，谁先下世，存者必亲临吊祭。”众皆赞成，惟黄仕业独表异议，曰：“那最后辞世者，又有谁来吊祭呢?”言之成理，其议乃寝。后黄果为最后下世之人。

四

民国十一年(1922)有某营长向陆荣廷推荐某为其营的连长，陆试某对《三国演义》心得，极称陆意，及询该原任的营长，反不如所荐者，陆遂以新荐之人为营长，降原营长为连长云。

陆荣廷设伏擒法军

陆君田

1892年,陆荣廷未受清廷招抚前,率游勇在越桂边境专事劫掠为恶多端的法国人。曾在越南那兰圩对面陇呐伏击有优势武器的法军。战斗激烈,一个法国军官负伤倒地,游勇弟兄想去生擒,被法国军官打伤。陆大怒,愿出花红百元取法国军官首级,陆副手闭亚一挺身而去,手持大刀向法军官冲去,被法军官开枪打死。陆荣廷乃率队冲杀,法军溃败。陆立誓要为闭亚一报仇,私下向水口的清军管带彭洁斋借得一批弹械,扩充实力。

在陇呐被陆荣廷打散的法军二十余人,逃向中国边境内,要求清军护送回越南驮隆的法军驻地,哨长关玉山第二天派兵送他们经水口关回去,一面密告陆荣廷。陆得报,当夜率队到越南溃科埋伏。当法军走到溃科时,陆伏兵杀出,法兵进退维谷,当场被打伤和落水淹死的军官一名、士兵二十一名、俘虏一名。陆用铁线穿了俘虏的鼻子,牵至水口附近,生祭闭亚一墓。

从此,陆荣廷在边疆声名大振。

奉“旨”传教

官桂园

清宣统元年（1909），中华圣公会桂湘教区成立。英人班为兰任主教。每出门，坐八人抬轿，轿上挂上大灯笼，上书“桂湘辖境会督班”，威风八面！

班为兰初到全州开办教会，时处辛亥革命前夕，州城民众反帝情绪高涨，互约不许租房给外国人，班央求州官转圜，代为赁得一旧屋，州民又不许木石工匠为之修理。只得由州衙司法官廖少甫出面，雇工修建礼拜堂。

州民心犹未服，每于夜深向礼拜堂内投掷碎石。教堂中人夜不安枕，乃诉于班为兰。班转报英领事馆，英领事要挟清廷出示保护。清廷出告白下达全州，保护教堂教民，当地传教士为了向州民炫耀，在教堂门楣上挂一匾额，上书斗方大字：“奉旨传教。”

后　记

《八桂香屑录》全书150篇，约10万字。其中亲见、亲闻、亲历的稿件占70%以上，非"三亲"者，亦有证有故，个别已见前人著录者，亦有突破和新意；涉及壮、瑶、苗、侗、仫佬、毛南、回、京、彝、水、仡佬等十一个少数民族民间习俗和文化的占20%；清末民初的事件为重点征集的题材，约占全书的23%（民族习俗及文化、名胜古迹未计在内）；另外全书文史题材比重较大，约占90%。

本书八十多位作者多数是从事文史工作和研究少数民族的专家、学者和教授等，文章内容多为亲身经历，因而史料准确感人，具有可读性。如《蒋经国感我殓葬章亚若》，章亚若与蒋经国的关系，已世人皆知，但章亚若死后殓葬情况却是鲜为人知的，作者从20世纪80年代找坟开始，追忆到当年殓葬情形，使读者看了感到真实可信；又如“桂林城旧事”栏目中的各作者，当时多客居桂林，且多参与其事，所撰诸稿，不同程度地反映了抗战期间，一些文化名人云集桂林，为宣传抗日，动员民众所作的贡献。该栏中《〈夜光杯〉三绝》，《端木蕻良咏晴雯》更具知识性和趣味性。“民族习俗”及“民族文化”栏中各文，多为本民族中人撰写，更具真实感。又如《田汉为沈同衡、徐杰民题画诗》补充了《田汉文集》所漏诗稿；《1937年柳州集团结婚》起到移风易俗的作用，对当前一些青年举办婚礼时大摆筵席、铺张浪费等情况，是一个很好的教育。

编辑此书，目的在于将上自清末民初，下迄建国前这段历史时期中，反映我区社会百态的有史料价值而又鲜为人知的资料汇集起来，以供近代史研究者及史学爱好者参考，也是本馆全体同志为弘扬民族文化，为促进我区精神文明建设所作的微小贡献。

本书主编唐俊麟，参加编辑人员（按姓氏笔划为序）有：叶春生、陆君田、陈光宗、陈开瑞、赵大冠、唐依麟、黄童生等。由于时间仓促，加之水平有限，致本书选题覆盖面还不够宽、不够杂，这些均有待以后改进。我们热忱希望读者批评、赐教！

编　者